はじめに

地方を拠点に好きな仕事で付加価値を生み、得た利益を地元に引き込む——そんなこれからの地方づくりの在り方をテーマにしたのが本書です。

今流行りのコロナ移住を単に推奨したいわけではありません。「半農半x」のように、小さな暮らしを楽しみながら持続可能な暮らしをしよう、とお伝えすることだけが目的でもありません。

地方衰退が叫ばれている今、都市部で成長した「ぼくたち/わたしたち」が地方に還り、利益を引き込んで地元をもっともっと元気にしよう、そんな呼びかけの気持ちを根底にもって書きました。

さあ、可能性に満ちた地方への扉を開こう。

そして、これからの新しい地方を、ともにつくっていこう。

加東市の朝（@stablobooks）

四季の移ろいを感じながらクリエイティブな働き方、暮らし方ができる。ローカルシティワークの醍醐味のひとつだ

ケース①

地方×コミュニティデザイン
兵庫県加東市(北播磨)

共生研究家・共生コーチ
牛飼勇太さん

スキルとブランド力、
そしてデジタルツールを
武器に、
築100年の古民家から
全国とつながり
多彩に情報発信

ケース②

地方×起業
新潟県新潟市

フラー株式会社
代表取締役会長
渋谷修太さん

「新潟×起業×高専」の
合わせ技で
地方を盛り上げる!
コロナを機に新潟に
Uターンした起業家・
渋谷修太の新たな挑戦

ケース③

地方×企画
兵庫県洲本市(淡路島)

株式会社シマトワークス
代表取締役
富田祐介さん

淡路島の魅力を結びつけて
価値を生み出し、
島外に発信。
関係人口を創出し、
人と利益を島に呼び込む
プロデューサー

ケース④

地方×出版
神奈川県足柄下郡真鶴町
真鶴出版
川口瞬さん・來住友美さん

真鶴の暮らしぶりを発信し、
共感する人たちを
迎え入れる。
ローカルメディアの
価値と可能性、
豊かな生き方のヒントに

ケース⑤

地方×農業
和歌山県日高郡日高川町
藏光農園
藏光俊輔さん・藏光綾子さん

ITを先駆的に活用し、
農産物の付加価値を高めて
都市部に提供。
田舎を拠点とした農業で
都会とつながり直す、
新しい暮らし方

ケース⑥

地方×IT
兵庫県三木市(北播磨)
N's Creates 株式会社
代表取締役
中田和行さん

テレワークの一歩先行く
「リモート×オフィス」の
二刀流で事業拡大。
地方を拠点にスマホの
アプリ開発、利益を
地元に還元するIT企業

都会と田舎の往復で生じるバイオリズムの心地良さを、きみたちも味わってみないか

スタブロブックスの事務所。窓外に故郷の空が広がる

ローカルクリエーター　目次

1. 今こそ地方をクリエイティブ拠点に

2. 地方を元気にする「ローカルシティワーク」という働き方、暮らし方

3. 地方で活躍する「プロフェッショナルズ」ファイル

エピローグ

ローカルクリエーターこそ、地方活性化の主体者たれ

装丁	山田和寛（nipponia）
本文デザイン・図版	松好那名（matt's work）
校正	株式会社ぷれす
写真	牛飼勇太（P.112［P.4も同様］、130）
	下屋敷和文（P.160［P.5も同様］）
	真鶴出版（P.162-171）
	藏光農園（P.174［P.5も同様］-183）
	スタブロブックス［上記を除くすべて］

プロローグ

出でよ、ローカルクリエーター

25年前に憧れたライフスタイル

自然あふれる田舎の自宅をオフィスにして、好きな仕事をして暮らす――。

こんなライフスタイルを思い描いたのは、今地方で出版社を経営するぼく（本書編著者・スタブロブックス代表）が高校生のとき。陸上競技に熱心に取り組んでいた、今から25年も前の話です。

たしか土曜の昼下がりだったと思います。陸上部の練習が終わり、自宅で昼食を食べていたぼくは、あるテレビ番組を見て心が動きました。

それは当時、アメリカで流行り始めていた「ＳＯＨＯ」というライフスタイルを紹介する番組。ＳＯＨＯとは「Small Office Home Office」の略で、その番組では「会社や組織に属さず、自然あふれる郊外の自宅をオフィスにして家族と暮らしながら働く」といった文脈で説明されていたと記憶しています。

「大草原の小さな家」[*1]のチャールズのような頼もしく知的なお父さんが自宅の書斎で仕事し、ローラのようなかわいい子どもたちが大きな庭で駆け回っている。キッチンではキャロラインのようなやさしい雰囲気のお母さんが楽しく料理をつくっている。

絵に描いたように幸せな家族の光景をその番組で目の当たりにしたぼくは、自分も将来あ

＊1　開拓時代のアメリカを描いたテレビドラマ。アメリカで1974〜83年まで放送され日本でも大ヒットした

＊2
三木市・小野市・加東市・加西市・西脇市・多可町の5市1町で構成

んなふうに田舎の自宅で働きたいなあ、と思ったのです。

高校卒業後、兵庫の実家を出て大阪の大学に進学したぼくは、相変わらず陸上競技に打ち込んでいました。高校時代にはインターハイに出て決勝まで進んだし、大学時代には日本インカレや日本選手権、国体などの大会も経験しました。

そんな根っからのスポーツ人間だったから、卒業後も社会人として陸上を続けるかどうか少し迷いました。でも最終的に引退して普通に働こうと決めたとき、ふと頭に浮かんだのが、高校時代にテレビで見たあの光景でした。そしてこう思ったのです。


よし、将来は地元に戻って好きな仕事をして暮らそう——。

そして、そんな暮らしを実現できる仕事に就こう——。


ぼくの地元であり、スタブロブックスの所在地でもある兵庫県加東市は人口約4万人の小さなまちです。この加東市は、兵庫県の中央からやや南寄りに位置する北播磨地域[＊2]に属しています。

のどかな田園風景が広がる当地は日本一の酒米といわれる山田錦が生まれた地域で、季節になると加東市のいたるところで山田錦の稲穂が黄金に輝き始めます。

そんな加東市を含む北播磨一帯では、一級河川の加古川が南北に貫く地の利を活かして播州織や釣り針などの地場産業が栄えました。

といっても、ほとんどの読者はピンとこないはず。同じ兵庫県の神戸の人でも「加東市？どこ？」と言われるくらいですから。

距離的には、加東市は大阪市から直線距離で約55キロ、神戸市から約30キロ、姫路市から30キロ弱の位置にあります。

そんな加東市のことを子ども時代から好きだったわけではないけれど、高校時代に見たＳＯＨＯの映像がのちの人生を決定づけることになったのでした。

＊　＊　＊

田舎の自宅で好きな仕事を──20年越しの夢をかなえる

あらためまして。兵庫県加東市の出版社、スタブロブックス株式会社の代表を務める高橋と申します。

ぼくはコロナ禍の真っただ中の2020年4月21日、一度目の緊急事態宣言が発出された直後にスタブロブックスを立ち上げました。まだコロナの実態がほとんど解明されておらず、世界中が大混乱に陥っていた時期です。

タイミングは当然良いとはいえず、厳しい船出となりました。実際、1冊目の書籍の発刊が半年も遅れる事態となり、出版計画を見直さざるを得ないことに……。

しかも設立場所は東京ではなく、地元の兵庫県加東市。なぜコロナ禍の大変な時期に、出版業をやるには何かと不便も多そうな田舎でスタブロブックスを立ち上げたのか。

このプロローグでは、本書を発刊するに至った理由と目的を、スタブロブックスの設立の経緯にも触れながら語っていきたいと思います。

1977(昭和52)年生まれのぼくは地元の加東市で高校まで過ごしたのち、大学進学とともに大阪に出て、卒業後は大阪の広告制作プロダクションに拾われてコピーライターになりました。

ライターになった理由は、冒頭でお伝えした夢のライフスタイルを実現させるためです。ライターなら将来、場所を選ばずに田舎の自宅でもできるのではと考え、文章が得意でもないのにめざすことにしたのです。

広告制作プロダクションにもぐり込むことに成功し、ライターとしての歩みを始めたのは２００２年。ところが陸上しかやってこなかったので文章は書けないし、そもそもコピーライティングに不可欠の考える力がまったく身についていません。

コピーライターの先輩や制作プロダクションの社長からは、まるでボクシングのサンドバッグのようにズタボロにしごかれ続けました。書けない自分を責め、ストレスで血を吐き、胃潰瘍になったことも。

それでも自暴自棄にならず、ライターを辞めなかったのは、〝あの光景〟が将来の目標として潜在意識にインプットされ、ぼくを励まし続けてくれたからです。

その後、東京でライターと編集者の経験を積んだのち、２００８年にフリーランスのライターとして独立しました。

当時家族で住んでいたのは兵庫県尼崎市です。大阪の梅田駅まで阪急電車で15分。出版社が集積する東京に居るほどではないにしても、大阪市内に出やすい環境は便利で不自由はありませんでした。

それでも、いずれ田舎に還ってライター業を続ける目標を追い続け、今から7年前の２０１４年、加東市に念願のUターン移住を果たしたのです。

自然あふれる田舎の自宅で好きな仕事をして暮らす――高校時代にテレビで偶然見た夢のライフスタイルを、苦節20年の時を経て実現させたのでした。

ブックライターとして充実のデュアルワーク

加東市にUターンしたあと、田舎と都会を往復する日々が始まりました。

当時おもに手がけていたのは、本を出す著者に成り代わって1冊の本を書き上げる仕事です。本（ブック）を代わりに書く人（ライター）なので「ブックライター」とよばれます。ビジネス書や自己啓発書、社史などを中心に70冊以上の執筆を手がけました。

取材エリアは大阪市内や全国の都市部が中心だったので、「大手出版社の本を手がけるライターが田舎に移住するなんて無茶だ」と言われたこともありました。

ですが結論としては、むしろ都市部に居たときよりも仕事は増え、より稼げるようになったほどです。その理由は本題からそれるので割愛しますが、少なくともいえるのは、書籍を扱うライターは都市部に居ないと仕事が成り立たないという、当時の出版業界の常識を覆せたということです。

何より、田舎と都会の往復で生じる静と動のバランスを気に入っていました。取材で都会に出て刺激を受け、田舎で自然を眺めながらリラックスして原稿を書く。この両極のリズムに根ざした生体のバイオリズムのようなものが性に合っていたのです。

コロナ禍で一躍注目されるようになったデュアルの働き方、暮らし方をひと足先に実践してきたわけです。

地方発の情報発信の受け皿になりたい

そうして仕事は充実していましたが、やがて本づくりのすべてを自分で手がけたいと思うようになりました。

理由はいくつかあるなか、そのひとつが「地方に眠る地域資源の魅力を全国に届けたい」との思いです。自分自身が版元（出版社）になることで、地方発の情報発信の受け皿になりたいと考えたのです。

きっかけは、Uターン後に地元企業を取材する機会に恵まれたことでした。田舎で取材活動をするほどに、地方ならではの魅力的な企業や地域資源がたくさん眠っていると分かったのです。

ところが情報発信の手段が限られているために、そうした宝物のような地域資源がほとんど知られていない。

たとえば北播磨地域で受け継がれてきた播州織[*3]という地場産業があります。この播州織はいまだに職人の手作業による分業体制で成り立っています。その技術の一つひとつを見学すると、それは人間業とは思えない精緻な作業が繰り広げられています。もはや芸術とよべる

＊3
糸を染めてから織る先染めが特徴の織物。先に色づけした糸を使うことで豊かな色彩や自然な風合いを表現できるなどの特色がある

ような美しい技術ばかり。

そうやって手作業で織り上げられている播州織の生地は一般着のシャツのほか、国内外の最先端のファッションにも採用されていると知りました。

そこで、はたと気づいたのです。

海外のセレブが着ているおしゃれな洋服、じつはその生地の一部は兵庫県の片田舎でつくられているかもしれないのに、生産地や職人技はまったく知られていないじゃないか——と。

悔しいと思いました。もったいないと思いました。

同時に、地方に眠る地域資源を発信する受け皿が、この地元にこそ必要なんじゃないかと思ったのです。

実際、地場産業の若手の2代目が奮闘し、伝統技術を活用した商品を開発してマーケットに投入するチャレンジを続けている企業があります。創業150年を誇る老舗企業は、「伝統×マニアックファッション」の合わせ技で、いまやカリスマ的な人気を誇っています。

そうした若手2代目のチャレンジ、伝統と革新を融合させる企業のノウハウなどを広く世に問うことができれば、地方発の情報発信として意義があるのではないか——そんなふうに考えるようになっていきました。

だから東京でもなく、大阪でもなく、あえて地元の加東市に拠点を構えることに決めたのです。加東市でなければならなかった、と表現したほうがいいかもしれません。

こうして出版社を立ち上げる構想を描き始めたのは２０１７年頃です。

まずは、地方発の情報発信の受け皿をネット上につくるべく、「仕事百科事典 加東市版」というサイトを２０１８年末に立ち上げました。〝加東市版〟と銘打っているように、「仕事百科事典」という元祖サイトの地域派生版です。「仕事百科事典」とは、スタブロブックスと同じ北播磨地域に属するまちのひとつ、兵庫県多可町の商工会が運営する仕事紹介サイトです。加東市にUターン後、この「仕事百科事典」にライターとしてかかわる機会をいただき、前述のように地域資源の魅力に気づけた経緯があります。

地域の企業や仕事にスポットを当てる「仕事百科事典」のフォーマットを多可町だけにとどめておくのはもったいない、地元の加東市でもライフワークで運営させてほしい——その思いを多可町商工会の方に伝え、サイトデザインをそのまま引き継ぎつつ、〝加東市版〟として新たに立ち上げる了承をもらったのです。

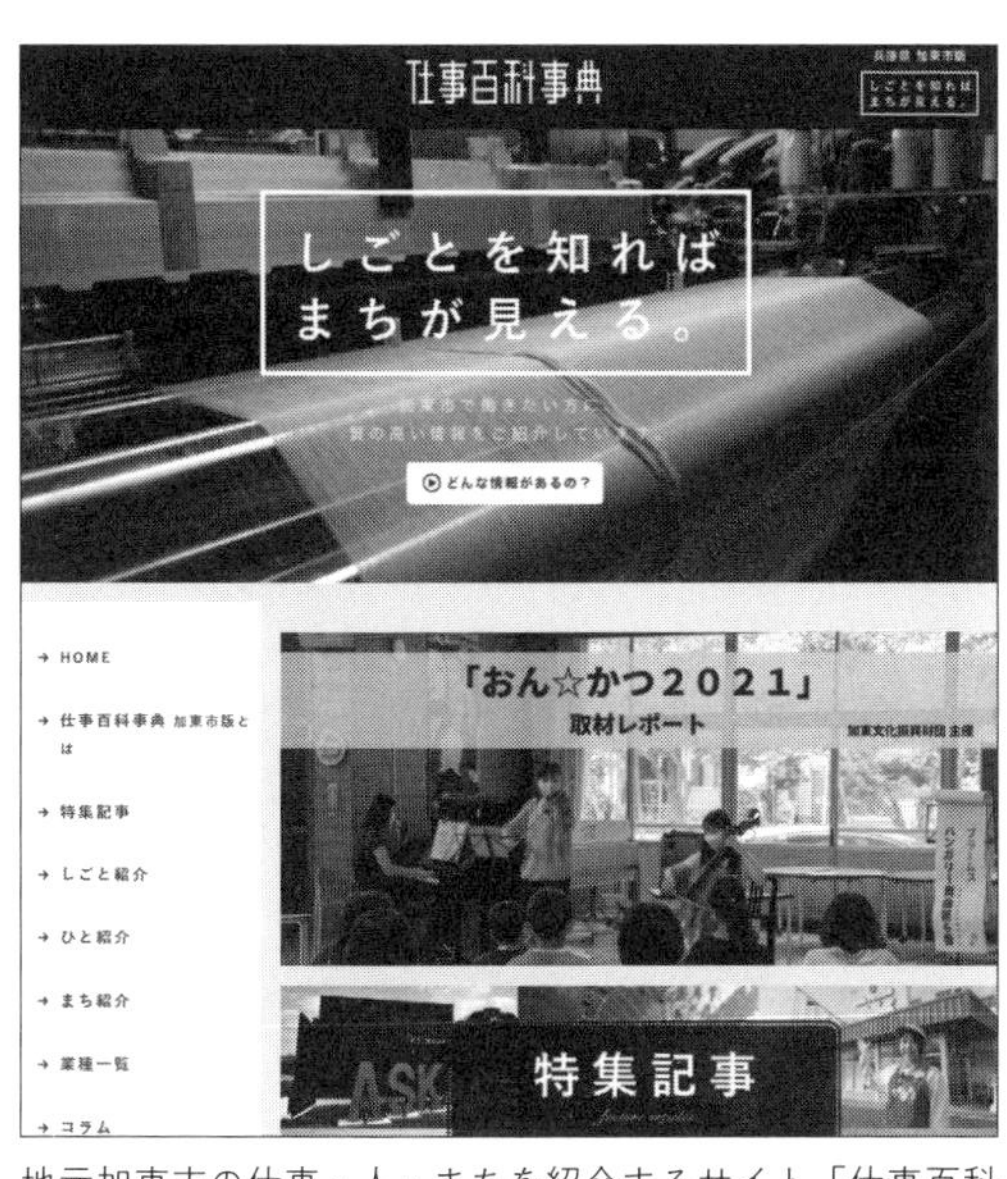

地元加東市の仕事・人・まちを紹介するサイト「仕事百科事典 加東市版」。ライフワークで立ち上げ運営している

以降はメインのライター業のかたわら、地元加東市の仕事、人、まちをテーマに取材活動を続けました。

同時に出版社の創業準備も進め、いよいよ本格的に動き出そうとした矢先……突如襲ってきたのが新型コロナウイルスです。

設立の計画をストップしようかとも思いましたが、立ち止まるよりも走り続けたほうが楽な性分です。そんなコマのような人間なので、緊急事態宣言下にスタブロブックス株式会社を地元加東市で立ち上げたのでした。

東京と地方の「情報格差」が縮まった

田舎で出版社をまともに経営できるのか、と思われる方もいらっしゃるかもしれません。正直、ぼく自身も手探りで進めてきましたが、その心配は無用でした。後述のように、地方での出版社経営に追い風が吹いていることが分かったからです。

むしろコロナ禍が幸いした点もありました。リモートワークが定着し、東京と地方の「情報格差」が縮まったからです。それまでは東京に行かなければ手に入れにくかった出版業界のノウハウが、兵庫の片田舎に居ても入手しやすくなったのです。

たとえば、当社が加盟している「版元ドットコム」[*4]では、設立間もない出版社に経営ノウハウを教える勉強会がリモートで定期開催されます。その勉強会に参加することで、地方の

＊4
日本の出版社で構成される会員制の団体

事務所に居ながら情報を得て、出版社の経営に役立てられました。

そのほか、東京のデザイナーさんなどとの打ち合わせもオンラインが前提となり、仕事が以前よりも進めやすくなりました。

もっとも、クリエイティブワークは合理性だけでは割り切れない、非効率な面が大切だったりします。コロナが落ち着いたら東京にも積極的に足を運び、お世話になっているクリエーターの皆さんとのコミュニケーションを深めようと思っています。

出版業こそ、地方に向いたビジネスである

コロナがもたらしたプラスの側面以上に、大きな気づきがありました。

出版業こそ地方に向いているビジネスだということです。相応しくない比喩だと理解しながらあえていうと、出版とはフィッシングに似ていると思ったのです。

本というルアー（疑似餌）をつくってマーケットという大海原に投げ込み、その結果の利益を手繰り寄せる。ルアーを投じるためにはよくしなる竿が必要ですし、獲物を釣り上げるためには精度の高いリールが不可欠です。

この竿とリールを出版業界に当てはめると、出版社と書店（あるいは読者）をつなぐための「流通のしくみ」に該当します。

出版業界における流通のしくみは複雑ではあるものの、地方の小さな出版社に対しても、

その門戸は平等かつ公平に開かれていることが徐々に分かってきました。

もちろん、大手の取次会社[*5]と契約するためには高いハードルがあります。しかし、だからといって地方の小出版社という理由で条件が厳しくなるわけではありません。設立準備中、ぼくのような地方の人間にも親身に相談に乗ってくれる取次会社や業者が複数ありました。

さらに現在は取次会社を介した従来の出版流通だけでなく、出版社と書店が直接取引するための新たなしくみも充実してきています。

たとえば自ら出版社でありながら、書店との直接取引の代理業務を引き受けている「トランスビュー」、出版社と書店をオンラインでつなぐミシマ社発の「一冊！取引所」、同じく書店がネット経由で出版社に直接オーダーできる「ＢｏｏｋＣｅｌｌａｒ（ブックセラー）」などがその一例です。

加えていえば、取次会社や直接取引の代理サービスに頼ることなく、自社制作の書籍を読者に直接届ける手段も多様化してきました。

出版社はアマゾンと「ｅ託販売サービス」で取引できますし、低コストでネットショップを開設できる「ＢＡＳＥ」などのサービスを利用しての販売も可能です。物理的な本としての質にこだわらなければ、在庫を持たずに1冊から印刷・出荷できる「アマゾンＰＯＤ（プリント・オン・デマンド）サービス」もありますし、電子書籍のみを制作して読者に直接販売する方法も一般化してきました。

この10年で急速に発展したＩＴやデジタルの技術を活用すれば、（売れるかどうかは別に

＊5
出版社と書店の間をつなぐ流通業者のこと

して）誰もがクリエーターとなって出版事業が可能なのです。

このように東京と地方での情報格差が縮まり、出版流通や販促のしくみも充実した今、もはや出版社の所在地は大きな問題ではありません。むしろコロナで地方の価値が高まった今、自然あふれる田舎のほうがクリエイティビティが刺激され、より高い付加価値を生み出せるとの声も聞かれるようになってきました。

当社の場合、複数の取次会社との交渉の末、人文・社会科学書専門の取次会社「株式会社JRC」と契約しました。そのうえで書店との直接取引も可能とし、かつ2021年にサービスが開始された「BookCellar」経由での注文も受け付けています。

従来からの取次ルートを基本としつつ、新たな流通手段も組み合わせることで、地方から全国のマーケットに向けて本をより届けやすく、利益をより出しやすい方法を模索してきたのです。今後もより良い流通販売の方法を求めて改善を重ねていきます。

なお、この原稿を執筆中（2021年7月）、当社1冊目となる書籍[*6]の精算日を迎えました。出版業界の平均返品率は約4割と高止まりしているのが課題となるなか、当社の書籍は約11%と良好な成績で、1冊目単体で黒字になりました。すでに増刷のタイミングを迎えており、さらなる利益が見込める状態です。

地方で出版社を立ち上げても竿とリールを手に入れ、本=付加価値を全国のマーケットに投じることができ、なおかつ利益を地元に引き寄せられることが分かったのです。

＊6 『いつか幸せではなく、今幸せでええやん！』（尾崎里美著）

そしてこの気づきこそ、本書『ローカルクリエーター』を制作する原点になったのでした。

クリエイティブワークで〝外貨〟を稼ぐ

日本がものづくり大国だった時代の地方経済は製造業がけん引していました。地方でモノをつくって関東圏や海外に販売し、得た利益を地元に引き込んでいたのです（96ページ参照）。

ところが円高やバブル崩壊後の不況などの影響でものづくり企業の海外移転が加速し、地方の製造業が弱体化していきました。

それに代わって現在は医療・福祉、飲食・観光といったサービス業が地方の雇用の主体になっていますが、非正規雇用の増加や所得の低下が課題になるなど、製造業の落ち込みを補うまでには至っていません。

では従来産業の衰退を挽回し、新たな稼ぎ頭となるウィズコロナ、アフターコロナ時代の地方ビジネスとは何でしょうか。

その可能性を握る産業のひとつが「情報通信業」（46ページ参照）です。情報通信業とはＩＴ業や広告業、出版業といったクリエイティブな業種が多く含まれ、日本の実質ＧＤＰ（国内総生産）にプラス影響を与えてきた〝稼ぎ頭の産業〟です。

このクリエイティブ産業は製造業のような大規模投資は不要で、機械を動かすために人を物理的に集中させる必要もありません。

つまり場所を選ばずどこでも、たったひとりでも働くことができ、なおかつ付加価値を生み出して稼げる仕事です。にもかかわらず、現在は東京に一極集中しているのが実情です。

このクリエイティブ産業の利点は、地域内のビジネスに閉じていない点です。地方の製造業が完成品や部品を域外に販売し、利益を地元にもたらしてきたのと同じように〝外貨〟を稼げるのです。

当社のような出版社であれば製造業の部品に代わる本を付加価値として、ＩＴ企業であれば開発したアプリやサービスを付加価値として、企画会社であればアイデアそのものを付加価値として、それぞれ域外のマーケットに提供し、利益を地元に還元することが可能です。フィッシングにおけるルアーが部品なのか、本なのか、アプリやアイデアなのかの違いだけです。

ならば都市部で活躍していた人が地方に還り、都会でやっていたクリエイティブワークをおこない、全国のマーケットに提供して得た利益を地元に引き込めば、衰退する地域経済を活性化させる一助になるのではないか――ぼく自身の経験と手ごたえも踏まえてそんなことを考えました。

出でよ、ローカルクリエーター

そこで企画したのが本書です。

地方に還ることを思い描いてきたぼく自身の歩みを振り返るとともに、地方で活躍しているプロフェッショナルを取材し、一冊の書にまとめたい、そんなプロジェクトを立ち上げて1年以上かけてつくり込んできました。

何よりこだわったのは、単に地方で好きな仕事に取り組んでいるだけではなく、利益を地元に引き込んでいる人を取材の対象にした点です。

もちろん、地方移住した理由や目的、業種などさまざまですし、地元のために仕事をしている人ばかりでもありません。むしろ地域貢献を声高に謳っている人は少なかったように思います。それでも結果として地元に貢献できている人たちに取材にご協力いただくことができました。


本書のタイトルでもある「ローカルクリエーター」とは、地方を拠点に都市部との垣根を越えたクリエイティブワークで付加価値を生み出し、得た利益を地元に還元する、そんな働き方、暮らし方を実践するプロフェッショナルのことです。

プロローグでは既述のようにスタブロブックス設立までの軌跡と本書に込めた思いを、第

1章では集中から分散に向かう機運の高まりと地方の時代の幕開けを、第2章では本書の核である「ローカルシティワーク」という働き方、暮らし方の醍醐味を、第3章では地方で活躍するプロフェッショナルのインタビュー記事を、エピローグでは地方が主体になる大切さを、それぞれまとめています。

第3章のインタビュー記事では、プロフェッショナルの皆さんがいかにして現在地にたどり着き、地方で活躍するに至ったのか、その道程や仕事に対する志、地域への思いを原稿に落とし込み、描ききることに心血を注ぎました。

ただし、本書が定義するローカルシティワークの実践者として紹介するのではありません。プロフェッショナルの皆さんはそれぞれの考えやテーマをもって活動されている以上、本書の企画に当てはめるような取り上げ方にはしたくなかったのです。第3章のインタビュー記事は、あくまで地方で活躍されているプロの方々の働き方、暮らし方に迫る目的だとご理解ください。

本書が、地方移住や地方での起業に興味のある方、好きな場所で好きな人たちと住み暮らしながら面白い仕事をしたいと考えている方、ＵＪＩターンを検討している方、地方創生や地方活性化に関心のある方々の参考になれば幸いです。

そして願わくば、つぎなるローカルクリエーターが本書を通じて生まれんことを切に期待しています。

1. 今こそ地方をクリエイティブ拠点に

かつての日本は地方が主役だった

江戸時代の日本は地方分権と中央集権が両立し、江戸が繁栄しながら地方もまんべんなく栄えた時代でした。人口も現在のように中央に一極集中していたわけではなく、各地の城下町も賑わいを見せるなど、多くの人たちが地方で暮らしていたのです。

明治維新で中央集権体制の強化が図られてからも、しばらくの間は、日本全体の人口バランスは大きくは崩れていません。

たとえば明治5（1872）年の東京府（東京都の前身）の人口はわずか77万人[*7]です。当時の日本全体の人口は3311万人[*7]なので、東京の割合は2％のみ。その後、東京の人口が都道府県でいちばんを記録するまでに25年ほどもかかっています。

つまり明治の中頃までは、東京よりも人口が多い地域や同じくらいの地域はたくさんあったのです。

地方暮らしを支えていた生業＝クリエイティブワーク

人口が分散していた理由のひとつは、地域特性を活かした競争力のある産業が各地で育まれていたからです。たとえば米どころの日本海側エリアは北前船[*8]の活躍もあって人口比率が高く、農業と物流の両面で当時の地域経済を支えていました。

＊7
東京都ＨＰの「東京都年表」（２０２０年４月６日更新）参考

＊8
江戸時代から明治初期にかけて北海道と大坂（当時）を結ぶ日本海海運で活躍した交易船

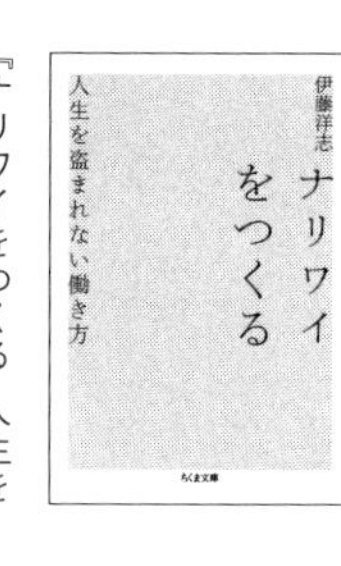

『ナリワイをつくる　人生を盗まれない働き方』（伊藤洋志著／発行：筑摩書房）

加えて働き方の影響もあったのではと考えます。いわゆる会社勤めを意味する〝サラリーマン〟的な働き方ではなく、当時の多くの人たちは個人事業主として、各地の特性に応じた複数の生業（なりわい）を営んでいました。

小さな仕事を組み合わせた生活を提唱する伊藤洋志氏は著者『ナリワイをつくる』（ちくま文庫）でこう述べています。

そもそも、仕事はもっと多様性のあるものだった。季節ごとに生業は変わるし、色々な仕事があり、それを各自が組み合わせて生活を組み立てていた。それをわずか、40〜50年で変えてしまった。ここにも日本の働き方の矛盾の根源がある。

四季のある日本の自然環境は刻々と移り変わりますし、生活環境も家庭の状況によって変化していきます。昔の日本人は複数の生業を組み合わせることで自然や生活の多様性に無理なく対応し、心身ともに健康に住み働く知恵をもっていたのです。

生業とは、地方で豊かに生きるためのアイデア、まさにクリエイティブワークそのものだったといえるでしょう。

職住近接の人間らしい暮らし

伊藤氏の『ナリワイをつくる』によると、大正９（１９２０）年の国勢調査で国民から申告された職業は約3万5000種にものぼるといいます。それが現在、厚生労働省の「職業分類」に登録されている職業（2011年6月発表：細分類）は892種のみ。

職の選択肢の多さが地方で働く創造性を高めていたのだとしたら、わずか半世紀の間に職の選択肢が極端に絞り込まれたことが地方衰退の遠因になっているかもしれません。

あるいは次項で述べるように〝サラリーマン化〟が進んだ結果、日本全体において働き方、暮らし方の柔軟性やクリエイティビティが失われたともいえるかもしれません。

であるならば、これから地方を盛り上げるためには職の固定化を解放し、昔の生業のように複数の仕事（＝複業）や副業を組み合わせる働き方、暮らし方が求められそうです。

ところが150年後の今……

このように昔は独自の産業が発展する土壌が各地にあり、職の多様性が暮らしを支え、結果として人口が地方に適度に分散していました。ところが明治初期から150年後の今、東京一極集中が課題となっています。

2021年現在、東京都の人口は約1400万人となり、、日本の全人口に占める割合は11％にまで拡大。東京都に神奈川県、埼玉県、千葉県を加えた東京圏の人口は世界最大の3500万人を誇り、日本の全人口の約3割を占めるまでになっています。ニューヨーク（6％）やロンドン（13％）、上海（2％）といった各国主要都市圏と比べても突出した密度

＊9 関東南部から九州北部に連なる工業地帯。おもに京浜、中京、阪神、北九州が古くから発達

の高さです（日本経済新聞調べ）。

一方、地方では人口減少と少子高齢化が進行し、若者の大都市圏への流出もとどまる気配を見せていません。

この150年で、いったい日本に何が起きたのでしょうか？

戦後の工業化で人口大移動

戦後、国は工業化を推し進める目的で関東から九州までを結ぶ沿岸の平野部、いわゆる太平洋ベルト地帯[＊9]に工場を集積させました。そして第1次産業の農業に従事していた地方の多くの人たちが工業地帯周辺に移り住んだのです。

第2次産業の製造業は機械を動かす特性上、資本（工場）と労働力（働き手）を同じ場所に集めなければなりません。海上輸送にかかわるインフラが整い、かつ後背地に多くの地方人材を抱える太平洋ベルト地帯は資本と労働力を集約させる最適地だったのです。

こうして産業転換による経済成長をめざした日本は1956年の経済白書の結語で「もはや『戦後』ではない」と書かれるほどの驚異的なスピードで戦後復興を成し遂げます。

その勢いを裏付けるように、1955年に高度経済成長に突入。1964年の東京オリンピックと東海道新幹線の開通で日本はますます活気づき、1966年にはGDPでフランスを、1967年にはイギリスを、1968年には西ドイツ（当時）をそれぞれ抜き、米国につぐ世界第2位の経済大国になりました。

図表1-1　三大都市圏及び地方圏における人口移動（転入超過数）の推移

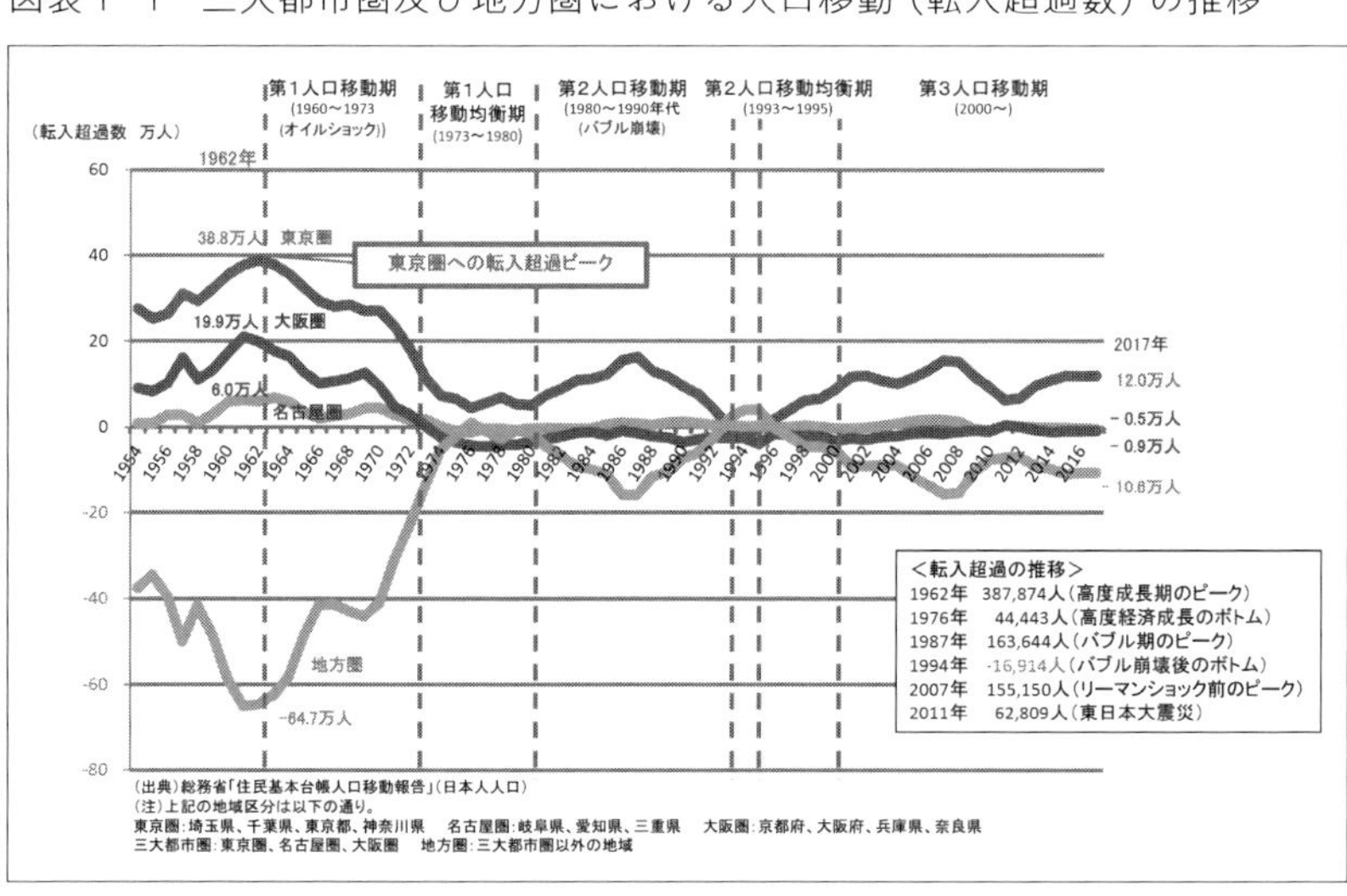

「東京一極集中の動向と要因について」（地方創生）から抜粋

こうしてざっと振り返るだけでも、当時日本中で鳴り響いていた建設のつち音が聞こえてきそうです。

同時に、地方出身のぼくとしては、地方の人たちの力なくして、そこまでの経済成長はあり得なかったのではとも思うのです。

図表1－1をご覧ください。

高度経済成長の真っただ中、地方の人たちが東京圏、大阪圏、名古屋圏（つまり工場集積地の太平洋ベルト地帯）に大移動している状況がうかがえます。

これだけの地方人材が大都市圏に移住し、多くの人たちが工業化の担い手として活躍したからこそ、当時の発展の礎が築かれたというのはいいすぎでしょうか。いくら国が産業転換の方向性を示し、資本が投入されたとしても、現場で働く人がいなければ計画は絵に描いた餅でしかないわけですから。

実際、地方の人たちの大移動が産業転換を後押しした事実が数字で確認できます。独立行政法人労働政策研究・研修機構の「産業別就業者数の推移」によると、1951年の産業別就業者数は第1次産業が1668万人ともっとも多く、第2次産業は817万人、サービス業を中心とした第3次産業は1137万人。その後、高度経済成長ただ中の1961年に第2次産業の就業者数（1323万人）が第1次産業の就業者数（1303万人）を初めて上回りました。

さらに日本が世界第2位の経済大国になった1968年には、第1次産業の就業者数は988万人にまで減少した一方、第2次産業の就業者数は1702万人に拡大。この時期に、農業から製造業への転換が完了したとみていいでしょう。

サラリーマン化した結果の東京一極集中

ここでもう一度、図表1－1をご覧ください。1973年のオイルショックがブレーキとなって高度経済成長が終焉を迎えると、大阪圏と名古屋圏への人口流入は落ち着いていきます。

それに対して唯一、高度経済成長期から現在まで一貫して転入超過が続いているのが東京圏です。なぜ東京圏にのみ、ここまでの人口集中が起きているのでしょうか。

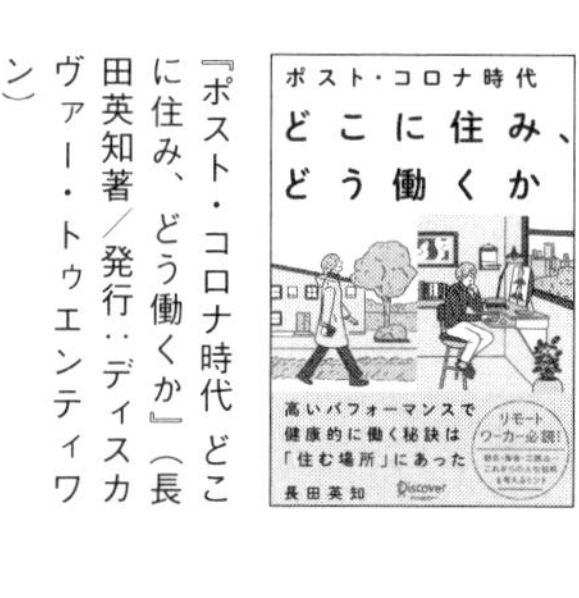

『ポスト・コロナ時代 どこに住み、どう働くか』（長田英知著／発行：ディスカヴァー・トゥエンティワン）

その要因のひとつとして、『ポスト・コロナ時代 どこに住み、どう働くか』（ディスカヴァー・トゥエンティワン）の著者の長田英知氏は〝サラリーマン化〟をあげています。同書によると、１９５３年の就業者に占める雇用者（いわゆるサラリーマン）の割合は42・4％でした。それが１９５９年に51・9％と5割を超え、１９９３年には80・7％、さらに２０１９年には89・3％に達しています。

他方、日本の株式会社総数の4分の1に当たる約59万社の企業が東京都に本社を置いているため、9割の人が会社勤めをする現在では東京に人が集まるのは自然の流れだというのです。

産業の一極集中こそが課題？

加えて本書で注目したいのが〝産業の一極集中〟です。若い人や能力の高い人が惹かれる「情報通信業」が東京に集まっているからです（図表1－2）。

情報通信業とは、総務省の「日本標準産業分類」で規定されている産業区分のひとつです。この情報通信業には通信業や放送業、情報サービス業、インターネット附随サービス業、映像・音声・文字情報制作業などが該当します。

平たくいうとIT企業やネット広告代理店、広告会社、映像制作会社、出版社など、若い人が憧れるクリエイティブな仕事が多く含まれる産業ということです。

これらの仕事が東京に集中している現状は、あらためて示すまでもなく、多くの人が理解

図表1-2　産業の動向：地域の特化係数

都道府県	特化係数1位	特化係数2位	特化係数3位
北海道	農林漁業・鉱業(3.49)	医療、福祉(1.78)	建設業(1.35)
青森県	農林漁業・鉱業(3.04)	電気・ガス・熱・水道業(1.86)	医療、福祉(1.77)
岩手県	農林漁業・鉱業(2.50)	医療、福祉(1.65)	建設業(1.48)
宮城県	電気・ガス・熱・水道業(1.89)	建設業(1.76)	卸売業、小売業(1.25)
秋田県	農林漁業・鉱業(2.66)	医療、福祉(2.00)	電気・ガス・熱・水道業(1.88)
山形県	農林漁業・鉱業(1.63)	医療、福祉(1.52)	製造業(1.39)
福島県	電気・ガス・熱・水道業(1.93)	建設業(1.66)	医療、福祉(1.44)
茨城県	製造業(1.68)	医療、福祉(1.19)	学術研究、専門・技術ｻｰﾋﾞｽ業(1.12)
栃木県	製造業(1.75)	医療、福祉(1.22)	農林漁業・鉱業(1.10)
群馬県	製造業(1.82)	医療、福祉(1.24)	農林漁業・鉱業(1.06)
埼玉県	医療、福祉(1.36)	運輸業、郵便業(1.31)	製造業(1.17)
千葉県	運輸業、郵便業(1.53)	医療、福祉(1.40)	その他ｻｰﾋﾞｽ業(1.30)
東京都	情報通信業(2.85)	学術研究、専門・技術ｻｰﾋﾞｽ業(2.21)	不動産業、物品賃貸業(1.75)
神奈川県	学術研究、専門・技術ｻｰﾋﾞｽ業(1.57)	運輸業、郵便業(1.56)	医療、福祉(1.22)
新潟県	農林漁業・鉱業(2.92)	電気・ガス・熱・水道業(1.63)	建設業(1.56)
富山県	電気・ガス・熱・水道業(2.45)	製造業(1.57)	建設業(1.22)
石川県	宿泊業、飲食ｻｰﾋﾞｽ業(1.30)	製造業(1.29)	医療、福祉(1.22)
福井県	電気・ガス・熱・水道業(4.83)	製造業(1.45)	医療、福祉(1.41)
山梨県	製造業(1.83)	宿泊業、飲食ｻｰﾋﾞｽ業(1.38)	医療、福祉(1.15)
長野県	電気・ガス・熱・水道業(1.67)	農林漁業・鉱業(1.53)	宿泊業、飲食ｻｰﾋﾞｽ業(1.47)
岐阜県	製造業(1.55)	電気・ガス・熱・水道業(1.51)	医療、福祉(1.25)
静岡県	製造業(1.67)	電気・ガス・熱・水道業(1.22)	医療、福祉(1.12)
愛知県	製造業(1.76)	電気・ガス・熱・水道業(1.38)	運輸業、郵便業(1.02)
三重県	製造業(1.79)	電気・ガス・熱・水道業(1.63)	医療、福祉(1.27)

都道府県	特化係数1位	特化係数2位	特化係数3位
滋賀県	製造業(2.12)	医療、福祉(1.06)	教育、学習支援業(1.02)
京都府	教育、学習支援業(2.21)	医療、福祉(1.60)	宿泊業、飲食ｻｰﾋﾞｽ業(1.28)
大阪府	不動産業、物品賃貸業(1.26)	医療、福祉(1.17)	卸売業、小売業(1.17)
兵庫県	医療、福祉(1.47)	製造業(1.29)	宿泊業、飲食ｻｰﾋﾞｽ業(1.16)
奈良県	医療、福祉(2.11)	教育、学習支援業(1.32)	宿泊業、飲食ｻｰﾋﾞｽ業(1.23)
和歌山県	電気・ガス・熱・水道業(1.88)	医療、福祉(1.88)	製造業(1.22)
鳥取県	農林漁業・鉱業(2.35)	医療、福祉(2.14)	教育、学習支援業(1.29)
島根県	農林漁業・鉱業(2.64)	医療、福祉(2.05)	電気・ガス・熱・水道業(2.00)
岡山県	医療、福祉(1.65)	製造業(1.31)	教育、学習支援業(1.15)
広島県	医療、福祉(1.39)	電気・ガス・熱・水道業(1.27)	製造業(1.26)
山口県	医療、福祉(1.72)	製造業(1.50)	建設業(1.10)
徳島県	医療、福祉(1.95)	製造業(1.36)	電気・ガス・熱・水道業(1.22)
香川県	電気・ガス・熱・水道業(1.59)	医療、福祉(1.41)	農林漁業・鉱業(1.26)
愛媛県	医療、福祉(1.61)	電気・ガス・熱・水道業(1.36)	農林漁業・鉱業(1.19)
高知県	農林漁業・鉱業(2.97)	医療、福祉(2.48)	金融業、保険業(1.40)
福岡県	医療、福祉(1.58)	電気・ガス・熱・水道業(1.29)	教育、学習支援業(1.15)
佐賀県	医療、福祉(1.98)	電気・ガス・熱・水道業(1.86)	製造業(1.31)
長崎県	農林漁業・鉱業(2.38)	医療、福祉(2.38)	電気・ガス・熱・水道業(1.23)
熊本県	医療、福祉(2.15)	農林漁業・鉱業(1.52)	宿泊業、飲食ｻｰﾋﾞｽ業(1.13)
大分県	農林漁業・鉱業(2.13)	医療、福祉(2.04)	宿泊業、飲食ｻｰﾋﾞｽ業(1.36)
宮崎県	農林漁業・鉱業(4.52)	医療、福祉(2.21)	電気・ガス・熱・水道業(1.58)
鹿児島県	農林漁業・鉱業(5.27)	医療、福祉(2.48)	電気・ガス・熱・水道業(1.63)
沖縄県	医療、福祉(2.12)	宿泊業、飲食ｻｰﾋﾞｽ業(1.94)	その他ｻｰﾋﾞｽ業(1.35)

経済産業省「ウィズ・ポストコロナ時代における地域経済産業政策の検討」から抜粋

図表１－３　実質GDP成長率に対する情報通信産業の寄与

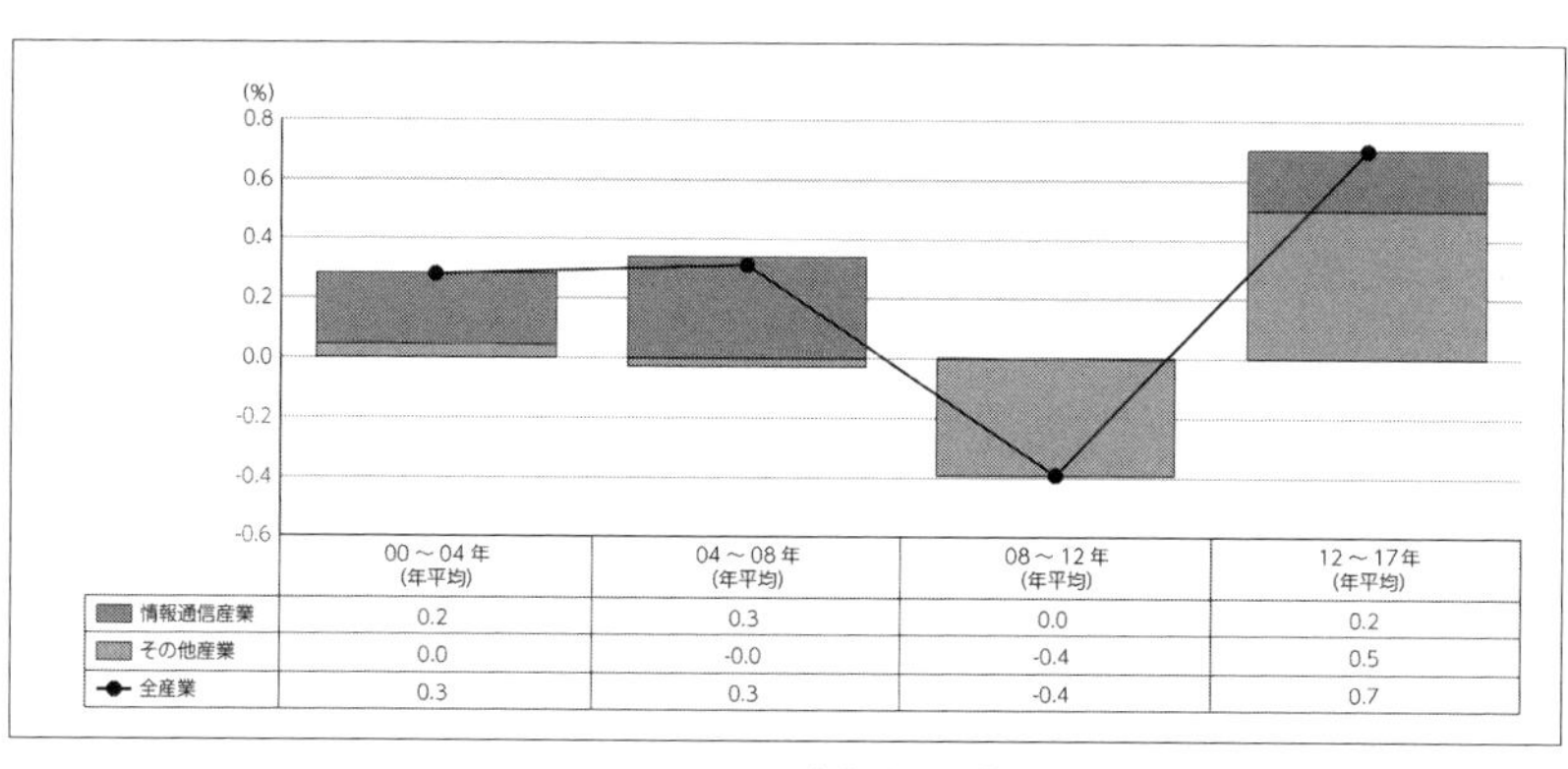

	00～04年（年平均）	04～08年（年平均）	08～12年（年平均）	12～17年（年平均）
情報通信産業	0.2	0.3	0.0	0.2
その他産業	0.0	-0.0	-0.4	0.5
全産業	0.3	0.3	-0.4	0.7

出典：総務省「ICTの経済分析に関する調査」（2018年）

しているでしょう。

本書が着目したポイントは、この情報通信業は少なくとも２０００年以降、日本の実質ＧＤＰに常にプラス影響を与えてきた〝稼ぎ頭の産業〟ということです（図表１－３）。

一方、もう一度図表１－２をご覧ください。

地方の主要産業は「農林漁業・鉱業」「医療、福祉」「宿泊業・飲食サービス業」「電気・ガス・熱・水道業」などが中心で、おもに大都市周辺では「製造業」が優位な傾向です。

つまり地方の仕事で総じていえるのは、農業や製造業（後述）などのピークが過ぎた産業か、あるいは非正規雇用の増加や低所得が課題となっているサービス業が中心ということです。

それに対して東京のみに成長産業、かつ給料も高く若い人たちに人気の仕事が集中した結果、東京の求心力がますます高まっていると考えられるのです。

実際、総務省統計局の調査（住民基本台帳人口移動報告・２０１９年）によると、近年の東京圏への転入超過数は15歳から29歳までの年齢層が圧倒的多数を占めています。東京圏の大学に進学し、卒業後は希望する職業や企業の多い東京圏にそのままとどまり、就職している状況が見てとれます。

日本財団がおこなった18歳意識調査「第29回―地方創生―」要約版（２０２０年9月29日）を見ても、「都市部で暮らしたい理由」との質問の答えが「生活がしやすい」（1位）、「娯楽が多い」（2位）についで、「就労の選択肢が多い」（3位）、「多様なチャンスがある」（4位）、「大学などの教育機関が多い」（5位）とランクインしていることからも明らかでしょう。

踊らされてきた地方の人たち

本書を執筆するにあたり、高度経済成長期以降の国策を調べました。すると、その時々の状況に応じた経済対策が打ち出されてきたのがよく分かります。

同時に、対策Aを打てば課題Bが生じ、対策Cを打つと、課題Dが生じるというように、国全体を動かす難しさが表れているようにも感じました。

経緯をまとめてみます。

まず戦後の高度経済成長期、地方人材を工業地帯に集め、ものづくり大国になったのは前述のとおり。

ところが１９６０年代には、早くも太平洋ベルト地帯への人口と産業の過度の集中が課題

図表１-４　工場立地件数の推移

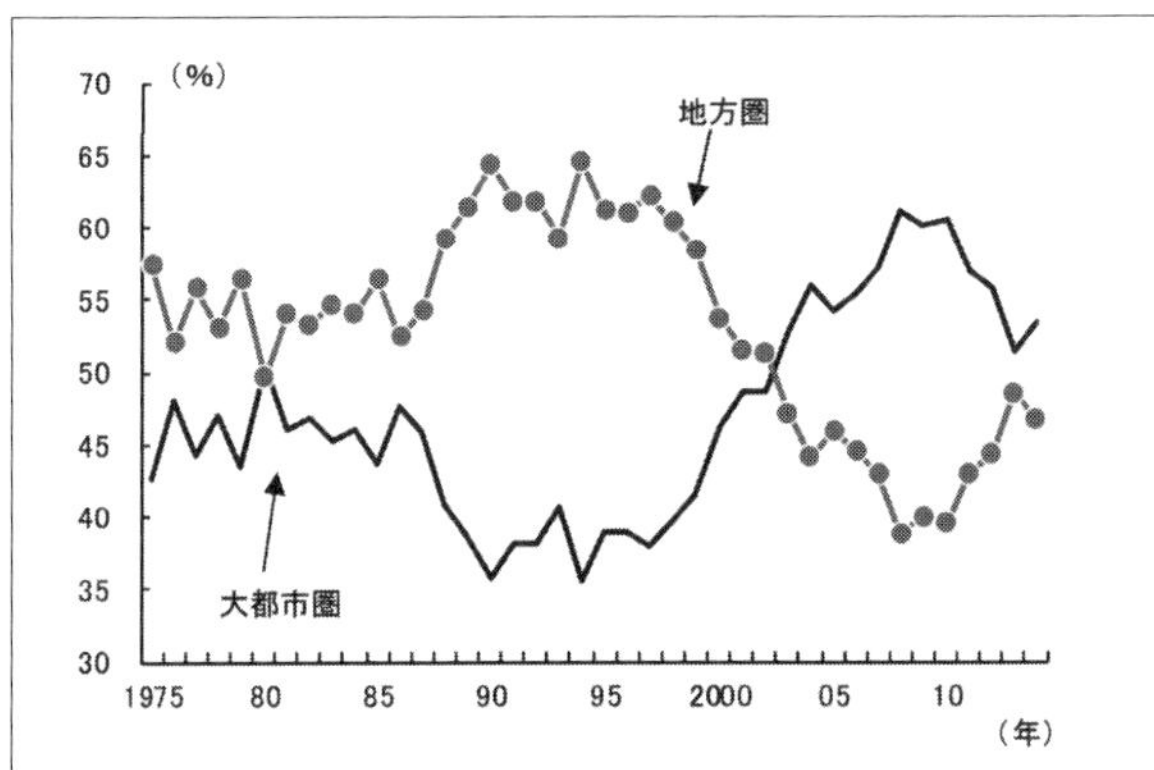

「地方圏での戦略型企業誘致」から抜粋

となり、工場を地方に分散させるための対策が講じられています。具体的には、１９７２年に「工業再配置促進法」が制定され、工業地帯から産業集積の低い地域への工場の再配置が図られました。これによって人口や所得の地域間格差がある程度、是正されたようです。

こうして地方に製造業を分散させたわけですが、安定成長期に入った１９８０年代以降、地域経済の底上げが新たな課題となりました。

そこで国は、地方の位置づけを単なる生産拠点から知的生産拠点に転換するべく、１９８３年にはハイテク産業を誘致する「テクノポリス法」を、１９８８年には研究所やソフトウェア開発部門などを誘致する「頭脳立地法」をそれぞれ制定。

しかしこれらの対策には課題がありました。みずほ総合研究所の政策調査部主任研究員・上村未緒氏が発表した「地方圏での戦略型企業誘致」によると、地方自治体が政府の補助事業に乗じてハコモノを建てたものの、地域の実態に即しておらずにテナントが集まらないといったケースが散見されたというのです。

そうこうしているうち、1985年のプラザ合意[*10]で円高が進行し、1991年にはバブル崩壊で経済が悪化。グローバル化の進展も相まってアジア新興国が台頭し、日本のものづくり企業が製造拠点をアジアに移転し始めます。

この動きによって地方での工場立地が著しく低下（図表1－4）し、地方の稼ぎ頭の製造業が伸び悩んでしまいました。

以降、地域特性に応じた産業集積の形成を支援する「企業立地促進法」が2007年に制定されるなど、地方の製造業を盛り立てる対策が打たれました。しかし地方の製造業は最盛期に比べると勢いを失い、それに代わるだけの産業が育ちきっていないのが現状です。

2010年代に入ると、国は地方創生にも本腰を入れて取り組むようになりました。2014年に日本創生会議が発表したいわゆる増田レポート[*11]により、地方衰退の危機感を強めたからです。

ところが東京一極集中は是正されるどころかむしろ加速し、地方では人口減少と高齢化率の上昇に歯止めがかかりません。

『まちづくり幻想』（SBクリエイティブ）の著者の木下斉氏はつぎのように述べています。

＊10　1985年9月22日、G5（先進5か国蔵相・中央銀行総裁会議）で発表された為替レートの安定化に関する合意のこと。これにより協調して円高・ドル安に誘導された

＊11　増田寛也氏と氏の私設の研究会である人口減少問題研究会が公表した論文の総称。2040年までに日本の基礎自治体の約半数が消滅する可能性がある（出産適齢期である20代・30代の女性が半減する）との試算が示された

『まちづくり幻想　地域再生はなぜこれほど失敗するのか』（木下斉著／発行：SBクリエイティブ）

地方の人口減少は衰退の原因ではなく、結果なのです。つまり、稼げる産業が少なくなり、国からの予算依存の経済となり、教育なども東京のヒエラルキーに組み込まれる状況を放置した結果、人口が流出したわけです。（中略）

戦前になかった地域間是正を目的とした地方交付税交付金や公共事業費、様々な地方支援補助金が交付された結果、地方は自らの地域産業を強くするよりも「いかに国から金をとるか」という競争に明け暮れるようになってしまいました。

つまり、本来は地方の稼ぐ力を回復させるための国策であるはずが、地方自治体の予算依存の体質を強める結果になっているとの指摘です。国策が裏目に出て、本来の目的である地方の稼ぐ力がますます弱まっているのだとしたら……なんとも皮肉な話です。

さらに個人的に思うのは、地方の人たちは国策に踊らされてはいないかということです。戦後、都市部に出たと思ったら、地方に製造拠点を分散する方針に転換。ところが地方の製造業は頭打ちとなり、成長産業も人口も東京の一人勝ち状態になってしまった。

もちろん国策の一つひとつには確かな計画とビジョンがあり、地方を活性化させるための知恵が詰まっていると思います。しかし主体である肝心の地方が使いこなしきれていないのではないでしょうか。

地方の人たちは豊かさを追い求めて都市部に出てがんばったのに、その結果、自分たちの地元が衰退に追い込まれてしまったのだとしたら、こんなに悲しいことはありません。

「集中」で得たもの、失ったもの

日本は150年でどの国よりも集中を進めてきたわけですから、それに見合うメリットがなければ釣り合いがとれません。日本は集中によって何を得て、何を失ったのでしょうか。

（集中で得たもの）

①経済効率の良さ

戦後地方の人たちが工業地帯に大移動した結果、東京、川崎、横浜、名古屋、大阪、神戸、北九州といった都市部が形成されていきました。工業地帯はものづくりの担い手を集めるための受け皿だったとすると、都市の誕生は目的ではなく結果であるといえます。

アメリカの建築家ルイス・サリヴァンは「形態は機能に従う」と言いました。この言葉を都市化に当てはめれば、何らかの機能が求められたことで都市がかたちづくられたともいえそうです。

ではその機能＝目的とは何かといえば、ひとつには経済合理性があげられます。経済活動をおこなうとき、人が分散しているより、ひとつのエリアに集中したほうが効率が良いとされているのです。

*12 「コロナ禍で「東京一極集中」は是正されるか」（ダイヤモンド・オンライン）

『2030年：すべてが「加速」する世界に備えよ』（ピーター・ディアマンディス著、スティーブン・コトラー著／発行：NewsPicksパブリッシング）

野村総合研究所の木内登英氏は自身のコラム[*12]でつぎのように述べています。

> 多方、（日本の）名目GDPに占める東京都の比率は19・0%と約2割である。つまり東京都で1人当たりが生み出す付加価値は、国全体の平均のおよそ2倍である。この点から、東京都は非常に経済効率が高い地域であると言える（原文ママ）。

そもそも太平洋ベルト地帯に資本と労働力を集めたのも、ものづくりを効率的におこなう目的があったからです。多くの機械と人を同じ場所に集めることで大量生産が可能となり、完成品を国内外に効率的に運搬できたのです。

ものづくり立国をめざした副産物として都市部が生まれ、効率良く稼げる都市・東京が誕生したともいえるかもしれません。

『2030年：すべてが「加速」する世界に備えよ』（NewsPicksパブリッシング）の共著者ピーター・ディアマンディス氏とスティーブン・コトラー氏は、「2050年に世界人口の66〜75%が都市に住む」と述べています。

さらに過度の密集は「機会と危険の両方をはらんでいる」としたうえで、都市集中のプラスの側面をつぎのように語ります。

> 経済的観点からいえば、都市は産業活動にはうってつけだ。2016年にブルッキン

『都市は人類最高の発明である』（エドワード・グレイザー著／発行：NTT出版）

グス研究所が世界で最も規模の大きい123都市の経済を調査した。世界の人口に占める割合はわずか13%であったにもかかわらず、経済生産ではほぼ3分の1を占めていた。（中略）人口密度が高いほど、生産性は高まる。

つまり効率良く稼ぐための環境として、集中は世界的なトレンドになっているのです。

②エネルギー効率の良さ

集中による効率の良さは経済活動に加え、エネルギー分野にも及びます。『都市は人類最高の発明である』（NTT出版）の著者エドワード・グレイザー氏は高密・コンパクトでエネルギー効率の良い都市に住む利点を強調しています。

グレイザー氏いわく、田舎暮らしは居場所をつくるために環境を破壊する生き方であり、エネルギー効率も悪いということです。車社会なのでガソリンを使うのはもちろん、郊外の広い住宅は冷暖房などで化石燃料を多く燃やす必要が生じるからです。

それよりも高密でコンパクトな都市部に住み、公共交通機関を利用したほうがエネルギー効率が良く、自然環境にも優しいと語ります。同書では、ニューヨークを例にした数字の比較もなされています。

公共交通も炭素を排出するが、ほとんどの公共交通は、個人用ガソリン燃焼装置で長い距離を走るのに比べれば、ずっとエネルギー効率が高い。たとえば、ニューヨーク市の公共交通システムは、年間で軽油1・6億リッターと、148億メガワットの電力を使って、乗客に26億トリップを提供している。計算すると、トリップあたり0・4キロの二酸化炭素排出だ——平均的な車のトリップで出る4キログラムの二酸化炭素に比べれば、10分の1でしかない。

人類を都市部にさらに集中させ、高密から生じるアイデアを都市のさらなる高層化・高密化に活かすのが今後の人類発展に不可欠というのがグレイザー氏の考えです。

エネルギー問題を合理的に突き詰めていくと、同氏の主張は理にかなっているかもしれません。ですが、やや極論めいていると思うのはぼくだけでしょうか。

『都市は人類最高の発明である』が発刊されたのは2012年。コロナ禍を経験する10年前です。コロナによって高密のリスクが顕在化した今、あらためてグレイザー氏の意見を伺いたいところです。

③文化・エンターテインメントの醸成

才能と才能、知と知がぶつかると〝化学反応〟が生じ、ひとりでは思ってもみないアイデアが生まれるものです。ぼくの知人が東京で劇団に入って活躍していますが、各自が自宅で稽古に励むだけで演劇のクオリティを高めるのは不可能でしょう。

当たり前と思われるかもしれませんが、才能と才能が火花を散らし、切磋琢磨するためには「密度」が必要なのです。

先ほど紹介した『2030年：すべてが「加速」する世界に備えよ』では、「人口密度はイノベーションの推進力にもなる」と語られています。

サンタフェ研究所の物理学者、ジェフリー・ウエストは、都市の人口が2倍になるたび、イノベーションの出現率（特許数を指標にする）は15％高まることを発見した。

多くの才能が集まる都市部では競争が生まれ、表現が洗練されていきます。同時に積み上げた経験やノウハウを発揮するための機会も提供されます。競い合う仲間と成果を発揮する場、この両方が高いレベルで揃った都市部は文化やエンターテインメントが育まれる最高の環境といえます。

その意味で、世界最大級の超過密都市・東京は文化やエンターテインメント、イノベーションの醸成装置として世界最高レベルにあるといえるのではないでしょうか。

この点における密度をぼくはまったく否定しません。むしろ密度の外＝地方に居ることでスキルや感度が鈍るリスクと常に闘っています。

〈集中で失ったもの〉

①職住分離による通勤苦

東京一極集中の弊害として、しばしば議論されるのは生活環境の悪さでしょう。物価水準や家賃の高さ、保育所や介護施設の不足を始めとして、さまざまな観点からデメリットが語られます。さらに東日本大震災以降、首都直下地震などの自然災害で首都中枢機能が麻痺するリスクも指摘されるようになりました。

そうしたなかでも、本書では第一に、その密度の高さゆえの窮屈さをあげたいと思います。とりわけ通勤苦は、人間のエネルギーを消耗させる筆頭のデメリットではないでしょうか。

１９６０年代に入ると、地方からの人口流入が続いたことで東京都内だけでは住宅を確保できなくなりました。そこで都心から数十キロ圏内にベッドタウンが開発されるとともに、分刻みで運行される緻密な鉄道交通システムが整備されていきました。

前述の『ポスト・コロナ時代 どこに住み、どう働くか』によると、東京50キロ圏内に居住する人口の割合は１９６０年の16・７％から、２０１５年には26・２％まで上昇しています（国立社会保障・人口問題研究所の統計）。

日本の全人口の４分の１がこの東京圏に住み、朝晩の同じ時間帯に電車で移動することで、耐え難い通勤地獄が生まれたのです。世界最大の人口規模を誇る東京圏は、多くの人たちの通勤苦の犠牲によって支えられているともいえます。

その後、1990年代後半に建築基準法が改正となり、タワーマンションの建設が増えて都心回帰が進みました。これは昔の暮らしに倣う意味でも正しいと思います。

職住近接が当たり前だった時代に通勤苦は存在しませんでした。それがサラリーマン化、職の固定化によって職住が切り離され、都心の周囲に住むドーナツ化によって〝通勤〟という名の移動が求められるようになったのです。

ならば都心で働いている人はなるべく勤務先の近くに住み、現代版の職住近接を体現する工夫が必要かもしれません。仮にぼくが東京都内で働いているならば、ラッシュの時間帯に電車に乗らなくてもいいよう、都心に住む選択をするはずです。

それでは生活コストが高いというのであれば、都心で働くこと自体にすでに無理が生じているのかもしれません。

②地域間格差

ここでは「人口格差」「所得格差」「財政格差」の3つの視点で地域間格差を考えたいと思います。

まず人口格差については、言わずもがなですが全都道府県で人口がいちばん多いのは東京都で約1400万人。対する最下位は鳥取県で約55万人（以上、総務省統計局）と東京都の25分の1です。日本で初めて国勢調査が行われた1920年からのこの100年で東京都（1920年：370万人で計算）の人口は約3・7倍に増えている一方、鳥取県の人口増加率はわずか1・2％にとどまっています。人口が東京に一極集中し、地方の人口減少が深刻になっているのはここまで見てきたとおりです。

ついで所得格差（内閣府の県民経済計算・2006年度〜2018年度）を見てみると、1人当たりの県民所得は東京都が断トツで約540万円。以下、愛知県（約370万円）、栃木県（340万円）と続きます。対する最下位は沖縄県の約239万円で、以下、宮崎県（約240万円）、青森県・鹿児島県（約250万円）と続きます。トップの東京都と最下位の沖縄県では約2・3倍の開きがあります。生活コストが異なるので単純に比較はできませんが、成長産業が集中する東京と地方の所得格差は明確に存在するといって間違いないでしょう。

最後に財政格差については「財政力指数[*13]」をもとに比較します。総務省の全都道府県の主要財政指標（2018年度決算）によると、上位から東京都（1・17）、愛知県（0・91）、神奈川県（0・89）と続きます。対する低い都道府県は下位から島根県（0・26）、高知県（0・27）、鳥取県（0・27）となっています。

この財政力によって公共サービスや地方独自の政策に違いが生じます。財政力に余裕があれば児童手当などの公共サービスを手厚くできるでしょうし、余裕がなければ公共料金の値上げなどによって格差が広がりかねません。財政力に余力のある都市部のほうが、市民にとっての住みよさや利便性が高くなる傾向にあるのでしょう。

＊13　地方公共団体の財政力を示す指数。この値が高いほど財源に余裕があることを意味する

以上の３つの視点のほか、医療や教育の地域間格差も生じているのが実情です。市民感覚としては、所得に加えて医療や教育のほうが格差をより切実に感じるかもしれません。だからといって地方暮らしが不自由なのかといえば、そうともいいきれません。どういう住環境や生活環境を望むのかにより、快適さや豊かさの感じ方は変わるからです。

③多様性の欠如

集中によるデメリットでいちばん強調したいのが多様性の欠如です。

効率や合理性と引き換えに毎日同じ時間帯に電車に乗って通勤し、ひとつの仕事に従事することが、果たして多様な環境に適応できる働き方、暮らし方なのか――そんな疑問がコロナによって突きつけられたのではないでしょうか。

少なくとも、昔の日本にはあった柔軟性やクリエイティビティを発揮しにくい社会になったのは事実でしょう。コロナ以前に企業の多くが副業すら禁止していたのもその表れです。ひとつの職業に特化すると、何かあった際のリカバリーが難しくなります。

では出版業はどうなのかといわれるかもしれませんが、起業前のライター業も含めて出版の仕事は柔軟性の高い職業だと感じています。

たとえばライターの場合、受注する取材本数を調整することで稼ぎや休みをある程度コントロールできます。強みの分野をいくつか持てば、特定業種の不況などに左右されにくくなりますし、書籍から雑誌、広告の文案をつくるコピーライティングなどまで仕事の幅も広いため、収入の柱を分散させることも可能です。

ライターを経て出版社を起業した現在は、ライターの仕事にプラスして、出版事業という柱をもう1本立てた感覚です。出版事業が軌道に乗ればライターの仕事を減らす、出版事業が思うように伸びなければライターの仕事を増やす、そんな仕事の調整がよりやりやすくなりました。

企業は環境適応業ともいわれるように、時代の変化に応じて事業内容や組織の在り方を見直していかなければなりません。同じように、個人一人ひとりも自ら置かれた環境によって働き方、暮らし方を変えていく柔軟性が今後、ますます必要になってくるのではないでしょうか。

そのために最終的に個人に求められるのが主体性です。自分はどうありたいのか、家族やコミュニティとどうかかわりたいのか――未来を展望し、主体的に選択できる力が豊かな働き方、暮らし方に不可欠といえるでしょう。

「分散」への機運が高まり始めた２０１０年代

こうして集中が進んできた１５０年ですが、２０１０年前後を境に「分散」への機運が高まり始めたと感じています。

というのもぼく自身、地元にUターンする２０１４年まで、地方で好きな仕事をする働き方、暮らし方に対する世間的な認識を敏感に感じとってきたからです。ここからしばらくは、ぼく自身の歩みを振り返りながら話を展開していきます。

「高橋君、田舎でライターは無理やで」

プロローグで述べたように、ぼくは高校時代にＳＯＨＯというライフスタイルにあこがれ、２０１４年に地元へのＵターン移住を果たしました。

地元に還る数年前の２０１０年ごろ、大阪の編集プロダクションのベテラン編集者の方にライフプランを話したことがあります。

「将来、田舎に還ってライターを続けたいんです」

たしか人に初めて打ち明けた気がします。

間髪を容れずに返ってきた言葉がこれです。

「高橋君、そら無理やで」

今でこそフリーランスという働き方は一般化し、在宅ワークも当たり前になりました。直近ではコロナでリモートワークが定着し、三密を回避できる地方の価値が高まっています。

しかし当時は理解を得られませんでした。もっとも当時、地方でクリエイティブな仕事をするのは難しいと考えていたのは、何も編プロの人に限りません。出版や広告、メディア業界全体に流れていた共通認識だったように思います。だから「地方×ライター」という、ぼくのライフプランが現実離れして見えたのでしょう。

都市部の仕事を地方に持ち込みたい

あのとき、地域のタウン誌といった地元メディアの取材や、地元企業の広報物の制作を請け負うと言えば理解を得やすかったのかもしれません。

しかしぼくが思い描いていたのは、都市部でやっていた仕事を田舎でそのまま続けること。つまり都会の仕事を地元に持ち込むこと。

クリエイティブな仕事は都会にしかないとあきらめるのではなく、田舎に居ながら面白い仕事をするために、働く場所、暮らす場所の制約を取り払うために経験とスキルを積んできたわけです。

フリーライター時代の当時、ぼくがメインで取り組んでいたブックライティングの仕事はチャレンジングで刺激的で魅力に満ちていました。取材対象となる著者はベンチャー企業や中小企業の経営者、コンサルタント、税理士や会計士、弁護士、医師といったその道のプロフェッショナルばかり。

何かを成し遂げた人から話を聞き、構成を考え、執筆する。著者と編集者とライターの三人四脚の信頼関係でビジョンを共有し、より良い本づくりをめざしていく。気が抜けないハードな仕事でしたが、それだけに1冊書き終えるたびに成長を実感できるやりがいがありました。

今思えば、だからといって都市部に居なければできない理由もないけれど、当時は本づくりの中心にいるブックライターが物理的に離れた田舎に移住する発想やコンセンサス自体がありませんでした。

10年で様変わりした「環境」

ここで強調したいのは、夢のライフスタイルを否定したベテラン編集者への意趣返しではありません。「田舎でライターなんて無理」と言われたのは、たかだか10年前に過ぎないということです。

今から10年前――といえば、2008年に日本で発売されたiPhoneが普及し出した時期と重なります。ぼくもちょうどそのころ、丸みを帯びた初代iPhoneを手に入れ、ガラケーとの2台持ちでカッコつけていたのを思い出します。

このスマホの登場を機に急速に発展したのがSNSです。2008年にFacebookとTwitterの日本版が公開され、2014年にはInstagramの日本版アカウントが開設されました。

デジタルツールも同時並行で進化し、たとえばオンライン会議ツールのSkypeが取材などで使われ出したのも2010年ごろと記憶していますし、今や定番となったZoomのサービス開始は2013年。クラウド型ビジネスコミュニケーションツールのChatworkは2011年にローンチされ、2014年にはSlackが登場しています。

ぼくが仕事でよく使うメモアプリEvernoteの日本版サービス開始は2010年、同じく仕事で不可欠のクラウドサービスのMicrosoft365をマイクロソフトが法

＊14 「安定事業を無償譲渡。シリコンバレーに乗り込んだ起業家の挑戦」Bplatz／取材・山野千枝、執筆・高橋武男

人ユーザー向けに発売したのが２０１１年。

ちなみに当時シリコンバレーで活動されていたＣｈａｔｗｏｒｋ創業者の山本敏行氏の取材をＳｋｙｐｅでおこない、その便利さに感心したのは２０１２年だったので、やはり取材でオンラインを活用し始めたのは２０１０年に入ってからで間違いないでしょう。

賛同者からネット上で資金を募るクラウドファンディングが日本でスタートしたのは２０１１年。東日本大震災の復興プロジェクトが、日本にクラウドファンディングが根づくきっかけとなりました。

日本初のクラウドファンディングサービスＲＥＡＤＹＦＯＲの創業者である米良はるか氏に取材[14]したのは２０１４年。当時書いた記事を見ると、「サービスを始めてから現在までに約１３００件のプロジェクトが成立し、累計で日本最大となる約7億円の資金を調達（２０１４年10月現在）」とあります。規模が小さいことからも、２０１４年時点ではまだ黎明期だったのが分かります。現在は資金調達手段として定着しているクラウドファンディングですが、本格的に普及し出したのは２０１０年半ば前後と見ていいでしょう。

以上のように、このたった10年でスマホやＳＮＳ、デジタルツール、ネットサービスがぼくたちの生活や仕事の環境をガラリと変えてしまったのです。

今ＳＮＳをよく利用している人が、それがない10年前を思い出せと言われても難しいでしょう。あるいはデジタルツールを使い始めたころから当たり前にＳＮＳがある、いわゆるＳＮＳ世代の人たちにとっては、もはやそれがない時代は想像すらできないはず。初代ｉＰ ｈｏｎｅとガラケーを2台持ちし、満足していた自分が遠い昔の人のように感じます。ぼくたちの環境と意識は、この10年で一変してしまったのです。

そう考えると、変化の端緒にあたる２０１０年ごろに「田舎でライターは無理」と言われたのも頷けます。取材は物理的な移動が当たり前の時代、「メディアの中心地である東京ではなく、大阪ですらなく、遠く離れた田舎に還るんやったら、高橋君、そら無理やで」と——。

「分散」の意味

さらにこの10年で、「地方」に対する人びとの意識も変わってきました。アナログ時代の価値だった「距離」の概念がデジタル技術で書き換えられたからです。

前述のように日本では戦後、集中によって都市部が形成され、いろいろな職業や知、エンターテインメントにアクセスしやすい環境ができ上がりました。アナログ時代のアクセス至便とは、すなわち物理的な距離の近さともいえます。だから都市部の魅力を煎じ詰めると「近さ」に行き着きます。

ぼくの小学生時代の恩師で、現在は京都の大学で非常勤講師を務める岸本清明先生がおっしゃった言葉が今でも耳に残っています。

「高橋君、田舎になくて都会にあるのは利便性だけ。逆にいえば、田舎には利便性以外のすべてが揃ってるんやで」

岸本先生も同じく加東市に住まいながら大学で教鞭をとり、その他の時間はライフワークとして地域の歴史の研究に取り組まれています。その人生の大先輩の言葉だから余計に説得力があるし、地方に拠点を移したぼくの選択を肯定してもらったようにも感じました。

ところがこの10年でデジタル技術が発達した結果、物理的にその場所に居なくても、知やエンターテインメントにある程度アクセスできる時代になりました。もちろん才能と才能をぶつけ合い、成長できる環境は都市部にこそ優位性があるのは前述のとおり。

しかし、距離の近さの価値が相対的に薄れる一方で、地方の魅力が再認識されているのもまた事実です。

「集中」が世界的なトレンドでありながらも、日本で「分散」への機運が高まっている背景には何らかの理由があるはずです。それはやはり、地方暮らしの魅力に他ならないのではないでしょうか。

「積極的な地方移住」が始まる

満員電車から解放され、自然あふれる環境でのびのびと暮らせる地方こそ、人間本来の生き方ができる場所。そんな地方の価値に気づいた人のなかでも、とくに能力が高く、個人としてのブランド力もある人たちが受け身でなく、自ら主体的に選択して地方に移住し始めました。

この「積極的な地方移住」も2010年頃からです。

たとえばブロガー、ユーチューバーで現在は投資家のイケダハヤトさんが四国に移住した

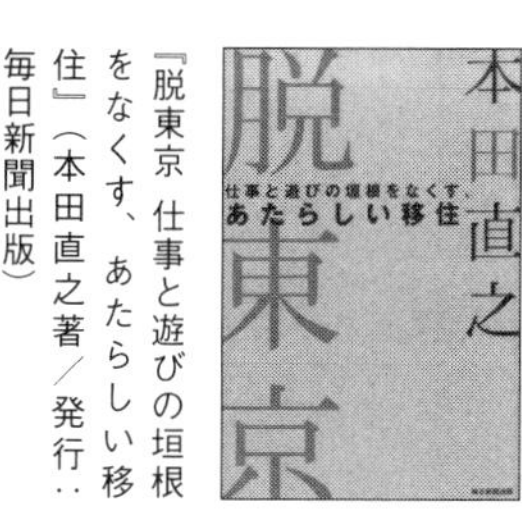

『脱東京　仕事と遊びの垣根をなくす、あたらしい移住』（本田直之著／発行：毎日新聞出版）

『ダブルローカル　複数の視点・なりわい・場をもつこと』（後藤寿和著、池田史子著／発行：木楽舎）

のは、ぼくが加東市にＵターンしたのと同じ２０１４年。実業家の本田直之さんが『脱東京』（毎日新聞出版）を上梓したのは２０１５年。

デジタルツールやＳＮＳを利用すれば、窮屈な都会に居る必要はなく、地方で好きな仕事を楽しみながら、なおかつ稼げる。そんな新たなライフスタイルが徐々に広まっていきました。

すでに感度の高いデザイナーなどのクリエーターにとって、地方での暮らしはライフスタイルの選択肢としてもはや定着しているのではないでしょうか。

ちなみに都市部——とくに東京に居なくても地方で面白い仕事や暮らしはできる、そんな働き方、暮らし方の価値観にスポットが当たるきっかけとなったのは、奇しくも２０１１年の東日本大震災だった点も付記しておきます。

たとえば『ダブルローカル』（木楽舎）の共著者である後藤寿和さんと池田史子さんは東日本大震災を機に新潟にもうひとつの拠点を設け、以降、異なる地域で異なる生業を営む働き方、暮らし方のスタイルを「ダブルローカル」と名づけて活動されています。

何よりぼく自身が20年以上、地方で好きな仕事を掛け合わせる生き方を模索し続けてきたわけで、２０１０年代からのこの地方移住の新たな動きを肌で感じてきました。

幕を開けた地方新時代

そしてこの10年でどこででも仕事ができる準備が整い、地方移住の機運が高まり始めた矢先に襲ってきたのが、そう、新型コロナウイルスです。

２０２０年——本来は東京オリンピックにわき立っていたであろうこの年に、コロナで地方の新たな時代が幕を開けたのです。

古い信念や価値観を手放し、本来の自分に戻る契機に

２０２０年というタイミングでコロナが蔓延した理由について、世界中でさまざまな議論が交わされることになりました。

そのなかでも、ぼくがとくに印象に残っているのは経済学者ジャック・アタリ氏の言葉です。２０２０年4月、ＮＨＫの番組「パンデミックが変える世界」でアタリ氏はつぎのように語りました。

「こういうときこそ人間の本質に立ち返るのが大事」

「利他主義という理想への転換こそが人類のサバイバルの鍵となる」

「他者を守ることが我が身を守ることになる」

『いつか幸せではなく、今幸せでええやん！ 幸せの波動はイマジネーションでつくられる』（尾崎里美著／発行：スタブロブックス）

「協力は競争よりも価値があり、人類はひとつであることを理解すること」

このアタリ氏のメッセージは、当社初の書籍として発刊した『いつか幸せではなく、今幸せでええやん！』の著者・尾崎里美さんを通じて知りました。これらの言葉に自己変容の必要性を知り、同書に収録した経緯があります。

このアタリ氏のメッセージのように、コロナがぼくたちにもたらしたのは「本質への回帰」ではないでしょうか。行き過ぎた儲け主義、行き過ぎた環境破壊、行き過ぎた超過密都市――それらの人間の行動や価値観に警鐘が鳴らされているのではと思うのです。

スピリチュアルカウンセラーとして幸せに生きるヒントを多くの人に伝えてきた尾崎里美さんも同書で「新型コロナは新しい時代へのスタートであり、本来の自分に戻るためのチャンスでもあります」と述べています。

すでに、コロナ禍で自らの価値観を変容させ、新しいアイデアで動いて事業を成長させている人と、何もしていない人との間で二極化が生じているといいます。「自分はどうしたいのか？」「人生をどのように過ごしたいのか？」を自らに問いかけ、自分らしさや自分流の輝き方にあらためて思いをはせることが大事だと尾崎さんはいうのです。

では本書における「本質への回帰」とは何を意味するのかといえば、それは「地方への回帰」です。超過密都市や競争主義に息苦しさを感じるなか、深呼吸できる地方にこそ、自分らしい働き方や暮らし方がある――コロナによって、そう価値観を書き換えられた人が少なくないと思うのです。

そこで、「ぼくたち／わたしたち」の出番だ

そこで本来の価値を取り戻した地方に住み、時代が生み出した武器を手に、好きな仕事を掛け合わせて楽しく生きよう、そんな提案をするのが本書の主旨です。

ただし、それだけでは単なる地方移住を勧めるだけの内容です。繰り返すように、地方で好きな仕事に取り組むだけでなく、地元に利益を還元することまでを提唱するのが本書の目的です。

そしてそのために、東京に一極集中している「稼ぎ頭の産業」を地方に持ってくる。では誰が持ってくるのかといえば、都会で成長した「ぼくたち／わたしたち」です。

地方こそ、クリエイティブライフに向いている

『コロナ移住のすすめ　2020年代の人生設計』（毎日新聞出版）の著者でご自身も2002年に長野県東御市にご家族で移住された藻谷ゆかり氏は、コラム[*15]でつぎのように述べています。

　この本の取材を通じて、最近の地方移住の背景に、企業に雇用される「メンバーシッ

『コロナ移住のすすめ　2020年代の人生設計』（藻谷ゆかり著／発行：毎日新聞出版）

*15
「好きな場所で好きな仕事をする『コロナ移住』のすすめ」（週刊エコノミストONLINE）

プ型」から、独立してフリーランスとして働く「ジョブ型へ」、「専業から複業へ」、モノを所有して満足する「所有欲求」から、自分の存在感があることで満足する「存在欲求へ」――といったパラダイムシフトが起きていることが分かった。

これこそ、環境の多様性に適応してきた昔の日本人の創造的な働き方、暮らし方に他ならないのではないでしょうか。

つまり地方こそ、企業に雇用されるのではなく、個人事業主として複業や副業を掛け合わせるクリエイティブな働き方、暮らし方に向いているのです。古き良き日本への回帰と、最先端の生き方の融合――コロナがぼくたちにもたらした意識転換のひとつです。

コロナは100年に一度のゲームチェンジャー

地方から都市部への集中が続いた150年間は、都市部が地方の人材を活用した時代といえます（図表1－5）。

一方、コロナによって2020年7月以

図表1-5　これまでの日本

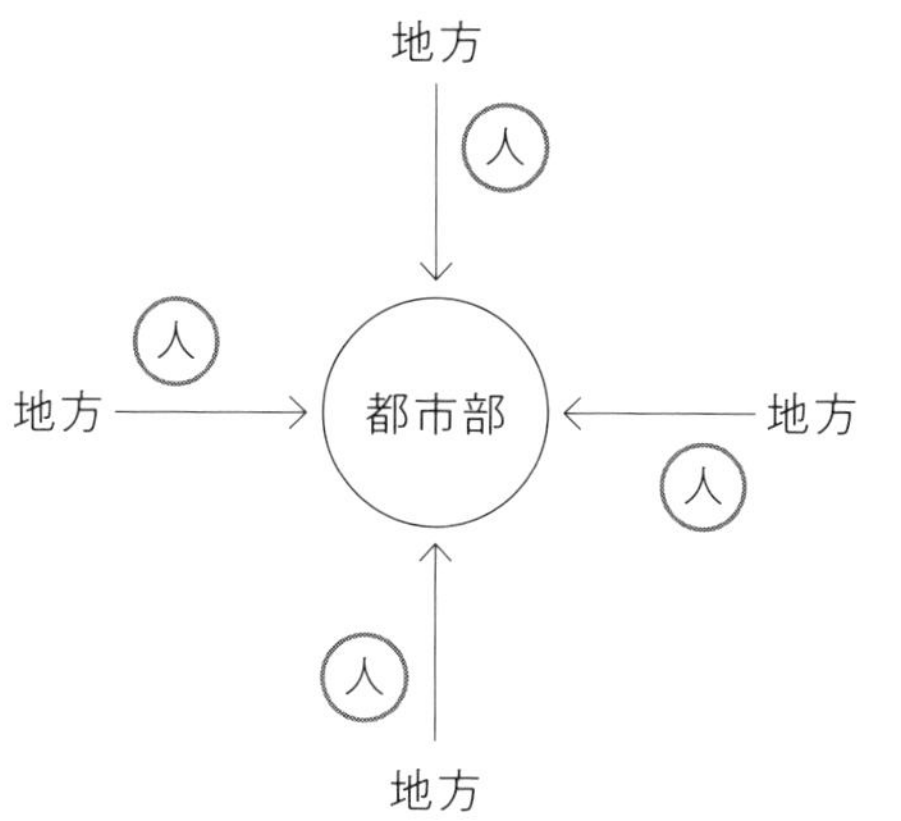

降、東京都からの転出超過が5か月連続するなど、東京への一極集中という人口移動の潮目にわずかな変化が起きました。東京都から他府県への転出超過が生じるのは、外国人を含む移動者数の集計が始まった2013年7月以来、初めてのことです。

実際には一極集中を是正するほどの大胆な変化ではないものの、少なくとも2010年代からの地方移住の機運がコロナでさらに高まったのは確かでしょう。つまり、一極集中と地方移住の動きが同時進行しているのがウィズコロナ、アフターコロナ時代の現状なのです。

この人口移動の逆転現象が生じていることに対して、第3章で紹介している起業家の渋谷修太さんは「コロナは、地方の価値をふたたび高める100年に一度のゲームチェンジャー」と断言しています。

すでに渋谷さんは故郷の新潟にUターン移住し、地元や地方を盛り上げるためのビジネスに精力的に取り組まれています。コロナによる歴史的な転換を敏感にキャッチし、地方発のビジネスを立ち上げる動きがすでに始まっています。

地方が都市部のリソースを活用する時代へ

今後も地方回帰の流れが続くならば、これからの時代は地方が都市部のリソースを活用する時代です（図表1-6）。

都市部のリソースとは「ヒト」「モノ」「カネ」「情報」のすべてを含みます。なかでも「ヒト」は都市部のプロフェッショナルにとどまらず、都市部で活躍後にUJIターン移住

図表1-6　これからの日本

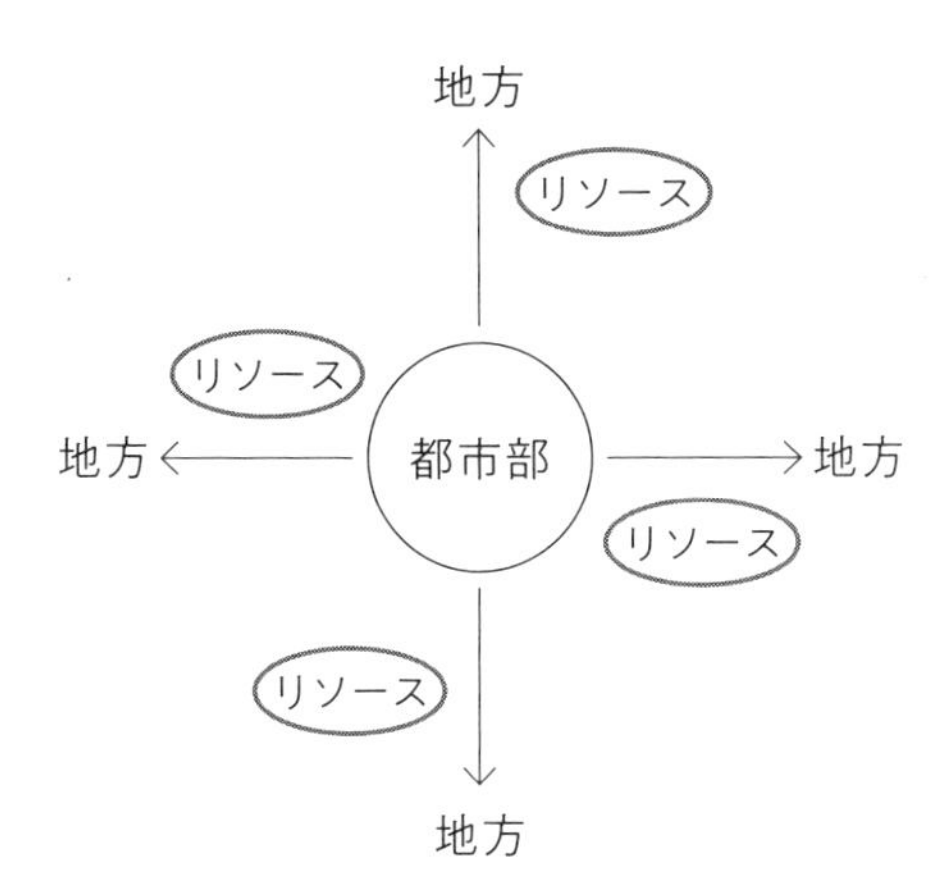

した人も対象です。つまり「ぼくたち／わたしたち」も都市部リソースのひとつです。

「活用する」と表現すると聞こえは良くありませんが、その意図はあくまでも本書の軸から外れていません。

すなわち、都市部で活躍していた人たちが地方に還り、地方移住後も都市部との垣根を越えたクリエイティブワークで付加価値を生み出す。そして生み出した付加価値を全国のマーケットに提供し、得た利益を地元に引き込む——そう、ローカルクリエーターが地方で真に活躍できる時代がやってきたのです。

2.

地方を元気にする「ローカルシティワーク」という働き方、暮らし方

ローカルクリエーターの位置づけ

デジタル技術が今ほど発達していなかったひと昔前は、「地方の仕事（＝ローカルワーク）」と「都市部の仕事（＝シティワーク）」には一定の垣根がありました。

そのため地方移住を実現するためには都市部での仕事を辞め、地域の仕事に新たに従事するスタイルが一般的だったように思います。東京でのサラリーマン生活に終止符を打ち、ハローワークや求人情報サイト経由で地元企業に就職する、あるいは起業するにしても就農したりカフェを始めたりするといったイメージです。

しかしＩＴやデジタル技術が成熟した２０１０年代以降、もちろん一概にはいえませんが、地方の仕事と都市部の仕事の境目がなくなってきています。

これによって都市部でやっていた仕事を地方移住後も継続し、地元に利益

図表２-１　ローカルクリエーターの位置づけ

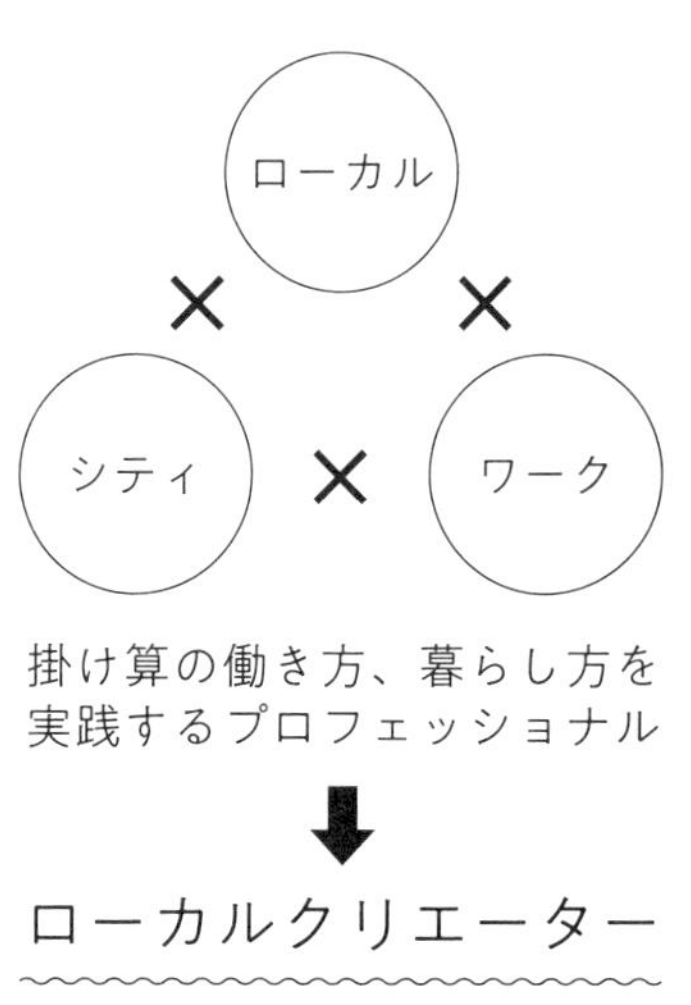

を引き込むワークスタイル、ライフスタイルを実現しやすくなりました。

都市部の拠点を引き払った地方への完全移住、都市部の拠点は残したまま地方にもうひとつの居場所を設ける2拠点生活、都市部に居ながら地方で活動するローカルキャリア……など、働き方や暮らし方の柔軟性や創造性がこの10年で高まったと思うのです。

このように、地方（ローカル）に拠点を設けたあとも都市部（シティ）とアクティブに連携しながら付加価値を生み出す仕事（ワーク）に取り組み、得た利益を地元に還元する――そんな「ローカル」×「シティ」×「ワーク」の掛け算の働き方、暮らし方を本書では「ローカルシティワーク」（87ページ参照）とよびます。

そしてこの「ローカルシティワーク」を実践するプロフェッショナルを以降、「ローカルクリエーター」（図表2－1）と位置づけたいと思います。

利尻島と加東市がつながったとき

北海道北部の利尻島に淡濱社（あわはましゃ）という出版社があります。

代表者は札幌出身の濱田実里さん。２０１７年に利尻町地域おこし協力隊に着任し、司書の資格を活かして島唯一の図書室で読書推進員として活動されました。そして協力隊退任後に利尻島で淡濱社を起業し、「本が読める出版社」「島のお助け司書」「読書の窓口」を事業の３本柱として活動を始められたのです。

その濱田さんが経営する淡濱社（@awahamaBOOK00）とツイッターでつながっているぼ

利尻ZINE『利尻のいろ〜彩葉書／彩随想〜』（濱田実里著／発行：淡濱社）

くは、同社が制作した『利尻のいろ』というZINE（オリジナルの自費出版作品）を知りました。

『利尻のいろ』はブルーが目に鮮やかなフォトエッセイ（彩随想）と、移住者の視点で島の暮らしを綴った随筆集（彩葉書）の2冊セットになっています。魅力を感じたぼくは淡濱社のウェブサイトを訪ね、BASEを利用して販売されていた『利尻のいろ』を購入。その数日後には、早くも北海道の利尻島から兵庫県の加東市に届きました。

そのとき、ふと感じたのです。

遠く離れた北海道の離島でつくられたZINEの存在をSNSで知り、ネットショップを通じて手に入れ、発達した物流に乗って数日で届いてしまう――利尻島と加東市がこんなに簡単につながれるなんてスゴイことだと。

この感想をツイッターのリプライ機能で濱田さんに伝えたところ、「ツイッターあればこそです」との主旨のお返事をいただきました。

届いた『利尻のいろ』の2冊は手触りの良い用紙で包まれ、オリジナルのボーディングパス（搭乗券）が印刷されています。さらに利尻島の観光案内も同封されていました。いつか利尻島を訪ねたいと思ったぼくは濱田さんにその旨を伝え、「いつかボーディングパスを持って利尻に遊びに来てくださいね！　お待ちしております」とのお返事をいただくなど、一連のやり取りを楽しむことができたのです。

この淡濱社の「地方×出版」の活動も、本書のテーマに当てはめるとすればローカルシティワークだと感じました。欲しいと思わせる付加価値を地方で生み出し、ITを使って域外に提供する。そして得た利益を島に引き寄せ、関係人口の増加にまで結びつけようとされている。地方で出版社を経営するひとりとして、淡濱社の活動にいつも刺激をもらっています。

兵庫県加西市を拠点に、マニアック音楽を世界に発信

本書の制作が大詰めを迎えていた2021年10月、スタブロブックスの所在地である加東市のお隣、兵庫県加西市にあるレコードショップ「Tobira Records」(@hakobunemusic)に取材に出かけました。店主の依藤貴大さんに、どうしても本書にご登場いただきたかったからです。

依藤さんは「Hakobune」という名義で活動するアンビエントミュージックの人気作家です。「アンビエントミュージック」とは「環境音楽」とよばれ、その場所や空間に漂う音として楽しむことを意図してつくられる音楽をさします。

加西市に2020年9月2日にオープンした「Tobira Records」の店内には、依藤さんの作品を含む国内外アーティストのアンビエントミュージックから、音高の変化の少ない音色が持続するドローンミュージック、物音などの実験音楽、ヒップホップ、テクノ、ハウス、ジャズ、R&Bまで、幅広いジャンルのレコードやカセットテープが数多く並べられています。

……といっても素人では説明が難しいので、ツイッターで目にした秀逸な紹介文を載せて

おきましょう。

「（「Tobira Records」は）兵庫県加西市にある日本一マニアックな品揃え、世界一早い営業開始時間のレコードショップです。普通に生きていたら死ぬまで耳にしないような最新（最深）の音楽を多数取り揃えております」（コワーキングスペース SkiiMa SHINSAIBASHI【公式】@SkiimaS より）

そんな「Tobira Records」の店主である依藤さんは加西市のご出身。高校はアメリカで過ごしたのち、立命館大学に進学しました。卒業後は大手食品メーカーに勤務し、デジタルマーケティングを扱う部署でWebマーケティングなどに取り組む一方、国内外から注目を集めるアンビエント作家として活動を続けてきました。

そして10年の東京暮らしを経て、地元の加西市にUターン移住して「Tobira Records」をオープンしたのです。

東京などの都市部ではなく、田舎にUターンして開業した理由を伺うと、2つの理由を教えてくれました。

レコードやカセットテープが所狭しと並べられた「Tobira Records」の店内。国内外のアーティストを招いた音楽イベントも定期開催されている

「まずひとつは、そもそも都会にこだわる必要はなかったことです。デジタルマーケティングのノウハウを活かしてEC販売に力を入れようと思っていたので、場所は関係なかったんです。そしてもうひとつは、ゼロベースでローカルコミュニティをつくり上げたかったことです。すでに音楽シーンができ上がっている東京ではなく、音楽が好きな人たちとダイレクトにつながれる場を地元の加西市でつくりたかったんです」

依藤さんがそう話すように、EC販売をメインにしながら実店舗も構えるのが「Tobira Records」の特徴です。

〝田舎〟というくくりで見ると移住候補地は日本中に広がるなか、「地元には友だちやお世話になっている方も多く、ご縁がありますから」と依藤さん。

「店舗ではイベントも開催したいと思っていたので、ある程度の広さが必要でした。その点でも家賃の高い都会より田舎のほうが有利ですし、僕の場合は同級生が良い物件を紹介してくれたので助かりました」

そう依藤さんが感謝する同級生とは、加西市で建築会社を経営する伊藤大悟さん。伊藤さんは本業のかたわら、事務所階下でギャラリー兼イベントスペース「Void」を運営されています。その伊藤さんの会社の持ち物件の一室に依藤さんが入居し、ショップを開いたのでした。

こうして「Tobira Records」をオープン後、当初はEC販売の割合が8割程度を占めていましたが、注目を集めるにつれて全国から加西市の店舗に足を運ぶ人が増え、現在は店舗の売り上げが3割ほどになっているそう。

「ちょうど昨日も名古屋から来られていたし、東京を始めとした全国からお客様が来てくださいますよ。事前に購入する作品を決めて目的買いをされるお客様が多いですね」

さらに販売先は国内にとどまりません。

「たとえばアメリカのアーティストの作品をヨーロッパのお客様が購入してくださったり、その逆もしかり。まだまだ日本人のお客様が大半ですが、コロナが落ち着けば海外から多くのお客様が観光も兼ねて来てくれると思います」

「Tobira Records」が扱うのは30部限定など少部数でリリースされている作品が多く、ゆえに国内のレコード店にはほとんど流通していません。それでも手に入れたい人は海外から購入する必要があるものの、作品が届くまでに時間を要したり、送料を含めると高額になったりするそう。

「その点、うちを通すことでリーズナブルに購入してもらえます。実際、ほとんどの作品を、海外から購入するよりもお求めやすい価格に設定しています」

「Tobira Records」の開業から約1年。「経営のほうはいかがですか?」と質問すると、「おかげ様でめちゃくちゃ忙しくさせてもらっています」と依藤さん。なかでも印象深かったのがつぎの言葉です。

「『Tobira Records』が扱うのはニッチな音楽ですが、世界市場を前提にすれば母数は格段に大きくなる。加西市だけでやっていくのは難しくても、海外を市場にすることで、地方でも経営を成り立たせるのは十分可能です」

得意分野のEC販売に加えて、店舗への吸引力もある「Tobira Records」。地方を拠点にECと実店舗で国内外に付加価値を提供し、得た利益を地元に還元する、まさにワールドワイドなローカルシティワークの可能性と魅力を感じさせてくれました。

「付加価値」とは何か？

ローカルシティワークの具体的な説明に入る前に、明確にしておきたいことがあります。すでに本書で何度も使っている「付加価値」という言葉のとらえ方です。

付加価値とは、企業が事業活動によって生み出した価値を数値で表した指標です。算出方法には「控除法」と「加算法」の2つがあります。

控除法とは、企業の売上高から他の企業が生み出した価値（原材料費や外注加工費など）を差し引く計算方法です。粗利益のイメージに近いといえば分かりやすいでしょうか。

加算法とは、企業が生み出した付加価値を構成する項目（人件費や減価償却費など）を足していく計算方法です。粗利益を費用項目や利益に分解したイメージに近いです。

……といってもやはり難しいですね。野菜の購入を例にあげましょう。

たとえばAという野菜を産地で生産者から直接購入する際の価格と、産地から離れたスーパーで購入する際の価格を比較した場合、一般には後者のほうが高いはずです。なぜなら、野菜Aに対して、物流と販売にかかわる付加価値が上乗せされているからです。

まず産地で生産者が生み出した付加価値とは、ざっくりいえば野菜そのものです（正確には購入した種苗や肥料などの価値を差し引く必要がある)。したがって、生産者にとっての付加価値とは「野菜A」となります。

その野菜Aをスーパーで販売する場合、物流Bと販売Cという価値が新たに付加されることになります。物流会社にとっての付加価値とは「物流B」の部分であり、販売会社にとっての付加価値とは「販売C」の部分となります。

このように、その商品やサービスが消費者の手に渡った際に、他の企業が生み出した価値を差し引き、その企業が純粋に付け加えた価値の部分を「付加価値」といいます。

この付加価値を一定期間の区切りで合計していくと、最終的に国のGDP(国内総生産)となります。

以上が付加価値の概要となりますが、本書はそこまで難しくは考えません。もう少し慣用的な表現、つまり一般的な認識の範疇でとらえます。

たとえば「付加価値の高い商品やサービスを生み出す」「付加価値の高い仕事をめざす」などです。もしくは、その企業や個人のアイデアと努力で生み出した商品・サービスの総称、といったイメージでしょうか。

仮に当社のような出版業であれば、つくり上げた「本」そのものが付加価値です。ゼロから1を生み出したのか、そうでないかにかかわらず、マーケットに評価される価値ある商品やサービスを本書では付加価値とみなします。

ローカルシティワークの3大ポイント

図表2-2　ローカルシティワークの概念図

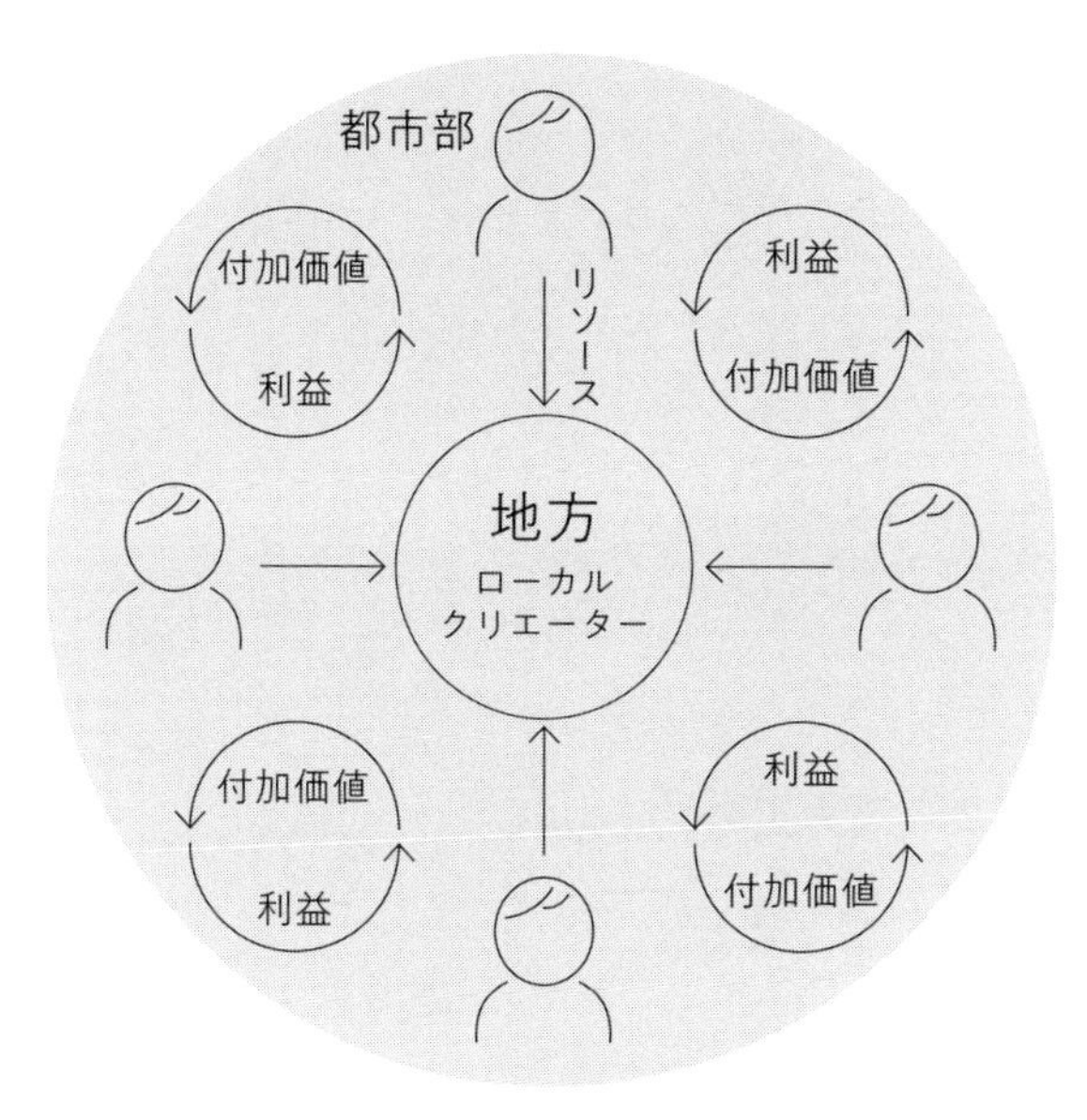

それでは「ローカルシティワーク」の説明に入ります（図表2-2）。

まず端的にいうと、ローカルシティワークとは「地方で付加価値を生み、得た利益を地元に引き込む働き方、暮らし方」のことです。

ポイントはつぎの3つですが、すべてを満たす必要はありません。意識したいのは、「ローカル×シティ×ワーク」の掛け算の働き方、暮らし方を大切にすることです。

ポイント① 「地方×x（エックス）」＝地方を拠点に好きな仕事を掛け合わせ、付加価値を生み出す

「x（エックス）」とは、都市部で経験とノウハウを積み上げてきた「仕事」です。東京に一極集中している「稼ぎ頭の成長産業＝情報通信業」（46ページ参照）に該当する仕事が望ましいですが、その限りではありません。

大切にしたいのは、本人が楽しめる仕事であること。同時に地方で想像力や創造力を発揮しやすい仕事、さらに付加価値を生み出せる仕事であることです。

古き良き日本の働き方、暮らし方への回帰

「x（エックス）」はひとつに限りません。複数の仕事を掛け持ちしながら地方暮らしを実践する——古き良き日本の働き方、暮らし方への回帰です。自然や生活の多様な環境に適応するクリエイティブな生き方を体現する意味でも、地方で好きな仕事を掛け合わせる生き方はこれからの時代との親和性が高いのではないでしょうか。

第3章で紹介している牛飼勇太さんは兵庫県神戸市から加東市に移住し、里山付きの古民家シェアハウスを管理・運営されています。そして牛飼さんご自身もその古民家に家族で住まいながら自然と共生する暮らしを実践する一方、ＩＴを駆使して全国の自治体や組織、企

業、個人とアクティブに連携しながら複数の仕事を生み出しています。

シェアハウスの管理・運用のほか、都市部のまちづくりコンサルティング、企業や個人に向けたコーチングなど、好きな場所で好きな人と住み暮らしながら多種多様な仕事を掛け合わせているのです。

里山暮らしと新しい仕事の融合——地方回帰の時代の働き方、暮らし方のモデルケースといえるでしょう。

掛け合わせる重要性

前章で紹介した『2030年：すべてが「加速」する世界に備えよ』ではコンバージョンズ（融合）の重要性が語られています。AI（人工知能）やAR（拡張現実）といった進化するテクノロジーを融合させることでイノベーションが生まれるというのです。

第3章で紹介する渋谷修太さんも「IT×○○」の重要性をこう話します。

「ITはインフラなので、単体でその機能を活かすことはできません。何かを掛け合わせることで初めてITの本領が発揮されます」。さらに「地方とITを融合させると面白いビジネスが生まれる」とも語り、渋谷さんの仲介によって実現した新潟県小千谷市の事例を教えてくれました。

2020年11月、錦鯉発祥の地である新潟県小千谷市に人気ゲーム「ポケットモンスター」シリーズのキャラクターを描いたマンホールのふた「ポケふた」が設置されました。

＊16
ポケットモンスターシリーズに登場するキャラクター（モンスター）

この取り組みが興味深いのは、渋谷さんがいうように「IT×地方」の掛け算になっている点です。同市発祥の錦鯉を連想させるコイキング[16]がマンホールのふたに描かれ、さらにそのポケふたは「ポケモンGO」でアイテムを入手できる〝ポケストップ〟にもなっています。

「ポケモンGO」はAR機能を利用し、スマートフォンの画面に現れたモンスターを捕獲するゲームです。このAR技術を用いたゲームを観光客誘致に利用し、「ポケモンGO」のファンを同市に呼び込む戦略です。

その狙いは見事的中。「錦鯉発祥の地・小千谷市×人気ゲーム×AR」＝「ポケモンGOのアイテムを入手できる」という付加価値の創出につながり、小千谷市の観光地化に成功しました。

特色ある地域資源にITを掛け合わせることで付加価値を生み、ゲームファンを地域に呼び込む——まちぐるみでローカルシティワークを実践した好例といえます。

ポイント② 「地方×都市部」＝都市部との垣根を越えたクリエイティブワークで付加価値を最大化する

地方に「都市部」を掛け合わせることを重視します。目的は2つで、ひとつは「付加価値の最大化」です。都市部で築いた人的資源や知的資源を地方移住後も活用し、付加価値の最大化をめざします。地方を拠点に都市部との垣根を越えたクリエイティブワークをおこなうことで、より魅力的なモノづくり、コトづくりが可能となります。

もうひとつの目的は、「域外のマーケット開拓」です。地方で生み出した付加価値を域外のマーケットに提供し、得た利益を地元にもたらしてこそ、地域活性化につながると考えます。

「都市部リソース」とは？

前章の最後で少し説明したように、都市部リソースとは「ヒト」「モノ」「カネ」「情報」のすべてを含みます。地方だけに閉じて活動するのではなく、めざす付加価値を生み出すために最善を尽くす、そんな意味を込めました。

なかでも「ヒト」はやはり大事で、Uターン移住者であるぼく自身がそもそも都市部リ

『イドコロをつくる　乱世で正気を失わないための暮らし方』（伊藤洋志著／発行：東京書籍）

ソースのひとりだと自戒しています。出版業で付加価値を創出し、利益を生み出すのはパソコンでもプリンターでもなく、貸借対照表には計上されない自分という資産だからです。

自分という資産が企画し、本をつくり、市場に流通させ、認められると利益を得られる。市場にスルーされると利益は得られない。市場という厳しい目利き力によって自分という資産価値が値踏みされているからこそ、昨日の自分より少しでも大きくなれるよう、日々、努力を続けています。

本づくりという意味では、デザイナーさんも大切な「ヒト」です。本書の本文デザインを担当してくださった松好那名さんには創業時からお世話になってきました。未熟なぼくの要望や好みを的確に受け止めてくれて、毎回、イメージ以上の本文デザインに仕上げてくださいます。

本書の装丁デザインを担当してくださった山田和寛さんには、今回初めて依頼しました。本書の特徴を表現してもらえるデザイナーさんの検討を重ね、『イドコロをつくる』（伊藤洋志著）のブックデザインを担当された山田さんに思いきってお声がけしたのです。結果、自分では思いもよらない素晴らしいデザインに仕上げていただき、大変感謝しています。

さらに校正・校閲は株式会社ぷれす様、印刷・製本はシナノ印刷株式会社様にいつもお世話になっています。

もちろん地元にも素晴らしいデザイナーさんやプロフェッショナルの方々がいます。たとえばスタブロブックスのホームページとロゴマークのデザインをお願いしたのは、兵庫県多可町のデザイン事務所「株式会社 ikka morrow（イッカモロウ）」の近藤誠さん。明確なコンセプトのもと意味のあるデザインに仕上げていただき、いつも唸ってしまいます。

このように、目的を達成するためにはどのような方々に力を貸してもらうのがいいかを検討し、プロフェッショナルの皆さんを最大限リスペクトし、誠心誠意を尽くして協力を仰ぐのが大事だと思うのです。

市場が見えなくなるリスク

都市部を掛け合わせる目的は、「地元で満足するな」という戒めでもあります。地方で活動していると、井の中の蛙になるリスクが往々にしてあります。その結果、知識やノウハウをアップデートするための努力を怠ったり、新たな物事に対する感度が鈍ったりしてしまいかねません。都市部と積極的にかかわることで感度を高め、密度の外に居るデメリットを補う必要があります。

「仕事百科事典 加東市版」の取材でお世話になった矢裂（やさき）尚敬さんは、加東市で創業150余年を誇る播州織の老舗企業・阿江ハンカチーフ株式会社でクリエイティブディレクターを務めています。

矢裂さんは出身の大阪から上京し、東京の大手アパレル会社などで約10年勤務。その後、東京暮らしから一転、播州織の産地でものづくりをするために加東市の阿江ハンカチーフに転職しました。

＊17
阿江ハンカチーフのオリジナルブランド。漢字で書くと「織人」となり、織る人、すなわち織物職人と生地づくりからともに考え、播州織の産地だからこそできる商品をともに生み出していくことをコンセプトにしている

「産地を拠点にするメリットは、ものづくりの現場に近い点に尽きますね。デザインの役割はゼロから1を生み出すというより、今あるものをもっときれいに、便利に、快適にすることだと思っています。ものづくりの現場にいると職人の技術を知ることができ、今あるものをデザインするための活かし方が分かるんです」と矢裂さん。

一方、田舎を拠点にするデメリットを聞き、ハッとさせられました。

「東京から加東市に来て感じたのは、市場が見えなくなるこわさですね。というのも『orit.（オリット）』[＊17]の商品は地方でつくっていますが、販売場所の多くは都市部なんです。地方の生活に馴染みすぎると、商品が売られているマーケットが見えなくなる心配がありました」

市場が見えなくなるこわさ――これこそ田舎でクリエイティブワークをする最大のリスクだと感じます。地方でモノやサービスを生み出しても、マーケットに評価されなければ売り上げが立たず、地元に利益を引き込むことができません。

そのデメリットを少しでも緩和するために、矢裂さんは住む場所を加東市ではなく、神戸や大阪に出やすい加古川市にされました。小さな工夫のように感じますが、密集から離れた田舎を拠点にする場合、矢裂さんのようにマーケットに常に敏感になる意識が問われます。

ちなみに前述の牛飼さんは移住先を探す際、「神戸から1時間以内の田舎」を条件にされました。自然あふれる環境でありながら、都会に出やすいちょうどいい田舎――そうやって田舎と都市部の程よい距離感を意識し、かつＩＴを使って全国と広くつながる意識をもてば、密度の外に居ることが必ずしもデメリットではなくなるかもしれません。

ポイント③「地方×地産外消」＝生み出した付加価値を域外に提供し、得た利益を地元に引き込む

地方で生み出した付加価値を地産地消にとどまらず、都市部を始めとした域外のマーケットに積極的に提供します。この「地産外消」を実践することで、得た利益を地元に引き込むことが可能となります。

地産地消も大切にしながら

もちろん、地元で生産したものを地元で消費する「地産地消」も大切です。

兵庫県多可町に拠点を置く太田工務店株式会社の代表取締役を務める太田亨さんは、地元産のヒノキを使った地産地消の家づくりに力を入れてきました。気象条件に適した地元産の木材を住宅に使う利点もさることながら、地元産材をそのまちで消費することが地域の経済や山、自然の生態系を守ることにつながるからです。

多可町産ヒノキを活用した家づくりは評判をよび、太田工務店に相談する人が後を絶たない状況になっています。

そのほか、地元の農産物を地域で消費すれば新鮮な味覚を楽しめます。生産者とのかかわりで安心感を得られたり、食文化の学びを得られたりといったメリットもあるでしょう。地

域内で経済を回すことにもつながります。

そうした地産地消のメリットや意義を理解しながら、本書では地元に利益を引き込む視点で地産外消も重視します。

地方で財を生産し、関東圏に販売して地域が発展してきた

少し古いですが、国土交通省がまとめた「地域産業の動向」(2003年8月)という資料があります。この資料で興味深いのは、1995年時点での地域経済の動向がつぎのように評価されている点です。

> 地域経済は関東を頂点とする経済構造となっており、地方で財を生産し、関東等に販売している。一方、サービスは関東から地方へ供給されている。各地域とも関東における最終需要が発生することによって多くの生産を誘発されており、特に東北は連関が強い。

つまり1995年当時までは、地方の製造拠点で完成品や部品などの財を生産し、関東圏に販売して地方に利益を引き込む第2次産業的な経済が主流だったのです。

しかし「産業の成長率」を分析した評価では、つぎのように述べられています。

地域別の成長率を産業別に分解して寄与度をみると、90年代を通じてサービス業の寄与度が大きい。建設業は96年まではプラスの寄与を果たす地域がみられるものの、その後は全地域でマイナスの寄与となっている。製造業についても96年以降は大部分の地域でマイナスの寄与となっている。

地方の稼ぎ頭だった製造業の成長率が１９９６年以降、鈍化している状況が読みとれます。第１章の「工場立地件数の推移」（図表１－４／50ページ参照）を見ても、95年ごろを境に地方での工場立地が低下し始めていることから時期が重なります。

つまり日本ではこの時期に、製造業を中心とする第２次産業から、サービス業を中心とする第３次産業に転換したと考えられるのです。ところが「サービスは関東から地方へ供給されている」と示されているように、当時の時点では、地方において製造業の落ち込みを挽回するだけのサービス業が十分育っていない状況が推察されます。

ターニングポイントになった１９９５年

「地域産業の動向」[*18]でもうひとつ興味深いのは、地域経済の新たな動きです。１９９６年あたりから「情報通信関連や情報提供サービス業等が東京に集中し、かつ成長している」と記されています。情報通信業の東京一極集中は、地方の製造業が衰退局面に入ったこの時期から始まったと考えられます。

＊18
「産業の成長性と東京都への集積・分散傾向」参照。１９９６年から２００１年の５年間の従業員数の増減率を年率換算した結果の成長率が示されている

ちなみに１９９５年といえば、阪神・淡路大震災と地下鉄サリン事件によって日本中が激震に見舞われた1年であり、またウィンドウズ95の発売によってネット時代の幕が開けた１年でもあります。日本の産業や社会が大きく変わるターニングポイントだったといえるかもしれません。

ぼくが高校時代にＳＯＨＯの番組を偶然目にしたのも、同じく１９９５年でした。将来の職業を暗示する、天啓のようなものだったのかもしれません……。

ウィズコロナ、アフターコロナ時代の地域経済産業政策

国交省の「地域産業の動向」が発表されてから17年後の２０２０年12月2日、経済産業省の地域経済産業グループによって「ウィズ・ポストコロナ時代における地域経済産業政策の検討」が打ち出されました。

この資料では、地域経済産業政策の結論として「ＤＸを主体としたデジタル化の推進」があげられています。つまり国は情報通信業を地域経済復活の起爆剤と考え、地方にＩＴやクリエイティブな産業を根づかせる方向にかじを切ったということです。

地域経済を活性化させるためには、これまでと同じように、国をあげての産業振興が必要なのでしょう。その意味で、本書でローカルシティワークの考え方を打ち出しても、吹けば飛ぶような小さな提案にすぎません。ですが、１軒のレストランの成功が地域おこしにつながり、地元経済に少なからず影響を与える事例があるように、一企業や一個人の地域活動が

地元に刺激を与えることはきっとあるはずです。

兵庫県丹波市柏原町は１９９０年代後半、ロードサイド型の店舗の拡大でまちの中心部の衰退が課題になりました。そこで地域の経営者が中心となって株式会社まちづくり柏原を設立。古民家を利用して「オルモ」という直営のイタリア料理店をオープンし、観光客を惹きつける人気店に育て上げました。その後もまちづくり柏原が中心となって空き店舗や古民家の活用を推進し、まちの活性化につながっています。

本書の発行元である当社に限っていえば、現時点では〝ひとり出版社〟なので雇用を生んでいませんし、地元の経済に貢献できるほどの利益を出せているわけでもありません。地域貢献というテーマを扱うこと自体が不釣り合いかもしれません。

しかし、部分は全体と相似するフラクタル理論を大切にするぼくは、地方の小さな動きであっても、地域全体に少なからず影響を与えると信じています。柏原のまちを元気にした「オルモ」のように、地域×出版社、地域×ＩＴ企業、地域×企画会社……など、面白い企業や個人の活動が起点となり、地域が元気になっていくこともあると思うのです。

少なくとも、自分が築いたスキルを使って地域で活動し、その結果、地元に何かしらの貢献ができるのは純粋に気持ちの良いものです。

Uターンは最強の人材育成システム

ローカルシティワークを実践する「ローカルクリエーター」の具体的な属性として、本書ではUJIターン[19]をした人、あるいはしようとしている人たちを想定しています。

*19 都市部の居住者が地方に移住する総称

地方への積極的な凱旋

UJIターンに対する本書のとらえ方は、地元や地方への積極的な凱旋のイメージです。いちばんのポイントは、地方移住後も地域内での仕事に閉じていないこと。つまりローカルシティワークを前提に、域外の都市部とも積極的につながりながら仕事をしていること。具体的には、つぎの2つです。

①都会で経験やノウハウを積み上げたのち、人生のステージアップを目的に地方に移住し、築いた知的財産や人的財産を活かして地方で付加価値を生み出せる人。
②その生み出した付加価値を地産地消にとどまることなく、域外のマーケットにも提供し、得た利益を地元に引き込むことができる人。

地方移住後に起業できれば理想的でしょう。地方に面白い企業が誕生して事業拡大すれば雇用が生まれます。地元の企業で働きたい若い人の受け皿になったり、都会で働く人が地元にUターンして就職したりできます。

起業せずに個人でも、小さな規模でも地方で面白い仕事をして、それをもとに利益を引き込む。好きな場所で好きな人といっしょに面白い仕事をして、域外で稼いだ利益を呼び込めれば、地元での消費と、うまくいけば多くの納税まで可能となり、ダブルで地域経済に貢献できることになる。

クリエイティブワークで稼げる個人が日本中の地方に生まれれば、日本の中で内需を盛り上げ、地方全体を活性化できるのではないか――このローカルシティワーク的な地に足のついた考え方こそ、これからの地方を元気にするための働き方、暮らし方なんじゃないか、というのが本書の核となるメッセージです。

地元に貢献したいUIターン希望者の増加

コロナ禍の今、地元や地方への貢献意識を高め、UターンやIターンを希望する人が増えています。就職情報大手の学情が20代の転職希望者を対象におこなった意識調査によると、「UIターンなどを希望する人」は２０２０年9月に65・8％にのぼり、同年5月から29・7ポイント上昇しました。

なかでも注目は、UIターンを希望する理由です。最多の「地元に帰りたい」（44・8％）についで、「地元に貢献する仕事をしたいと思った」（35・9％）が2位となったのです（以上、日本経済新聞参考）。「地方創生やまちづくりに興味をもった」という声も聞かれるなど、都市部の若い人たちが地方に意識を向け始めています。

都市部の役割は人材活用から人材育成へ

ライターを中心に活動していた数年前まで、高校のキャリア教育の取材を10年ほど続けていました。今でも印象に残っているのは、キャリア教育に携わる先生方の葛藤です。

２００８年から全国の高校を回り始めて数年経過したあたりから、高校生の地元志向が全国的に強くなった印象を抱きました。進学するにしても、就職するにしても、「地元に留まりたい」との希望をもつ高校生が増えたのです。

キャリア教育の先生方は「地元に残って活躍してくれるのは嬉しいが、もっと外の世界を見せてあげたい（あるいはもっと目を外に向けてほしい）」――そんな胸のうちを吐露してくれました。

ぼく自身は高校卒業まで地元の加東市で育ち、大学進学とともに実家を出て大阪府枚方市で10年、兵庫県尼崎市で8年過ごし、その間に東京で経験も積んだのち、36歳のときに加東市にUターンしました。人生の半分を外に出て成長し、地元に還ったあとは築いた経験値やノウハウを活かし、ライター業や出版業という好きな仕事をして過ごしています。

学校を卒業後、そのまま地元に残ってやりたい仕事に就き、経験を蓄えながら成長していく。それも素晴らしい選択だと思います。なりたい自分になるための経験の場を全国に求め、結果として自分の住むまちが最適地だと分かれば、学校卒業後も地元に残って活躍する決断は歓迎されるべきです。

一方、なりたい自分になるための成長の場が外にあるのなら、地元を離れてひと回りもふた回りも大きく成長し、満を持して地元に還ったほうが、地域に対してより大きな貢献ができるはずです。田舎で成長するチャンスも当然ありますが、都市部でもまれる経験のほうがやはり強度が高く、成長の伸びしろは大きいと思うのです。

ここでお伝えしているのは、ある意味で当たり前の話です。これまでも進学で都市部に出たのち、地元に戻って就職する人もいれば、そのまま都会で働いたのち、地元にUターンする人もたくさんいました。

ですが、これまでのUターンはどちらかといえば都会の生活に疲れたり、都市部での競争に巻き込まれたくないといった消極的なイメージが先行していたように感じます。

これからはそうではなく、戦略的に外に出て力を蓄えたうえで、人生のステージアップを目的に地元に凱旋する――そんな主体的なUターンの在り方があってもいいと思うのです。

地方を飛び出して都市部でいくつもの武器を手に入れ、地元にUターンして活躍する――こうした地域貢献のスタイルが、コロナによる意識転換でより実現しやすくなりました。

そう考えると、Uターンは最強の人材育成システムです。これからの都市部の役割は、地方の人材を活用することではなく、地方の人材を一定期間受け入れて育てるための育成の場に転換されるべきでしょう。

今後、都市部は人材育成装置として機能し、地方は活躍するためのフィールドになる――そんな役割分担が生じればと期待しています。

クリエイティブワークを地方でおこなう利点

ここからは、地方に住み働く魅力について、ぼく自身の経験も踏まえながらお伝えしていきます。

ただし、移住のノウハウについては触れません。「プロローグ」でも書いたように、本書は地方暮らしを単に勧めるのではなく、地方で働く意義や姿勢を提案するのが目的だからです。

東京の主要産業こそ地方に向いている

東京に一極集中している情報通信業こそ、地方にどんどん分散させればいいと考えています。情報通信業の仕事は多くの場合、大規模投資や集中が必要ないからです。

たとえば飲食店を新規開業する場合、土地建物とあわせて厨房設備などの投資が必要となります。借り入れを利用するケースが必然的に多くなるでしょう。他人資本を入れることで資金的には身の丈よりも大きなビジネスをスタートできますが、返済負担が当然加わります。自己資金なら仮に失敗しても軽傷で済みますが、他人資本が入るとそうはいきません。

一方、情報通信業は比較的低コストで開業できる場合が多いです。たとえば当社のような

＊20
出版物を国際的に管理するための世界共通の番号。正式には「国際標準図書番号」とよび、日本の出版界では40年ほど前に採用された

＊21
2012年7月に設立したクラウド型会計ソフトを提供するIT企業

ひとり出版社の場合、極端にいえばネット回線につながるパソコンとプリンターがあれば開業可能です。事務所は自宅の一室で問題ありません。

ちなみにスタブロブックス株式会社を設立するために費やしたコストは約40万円。内訳は、法人設立にかかった諸費用25万円のほか、A3まで印刷可能なプリンター10万円、大量の原稿を読み取れるスキャナー5万円のみ（その他FAX専用回線代やISBNコード[＊20]取得代など細かな出費は別途必要）。法人設立にかかわる諸々の手続きは専門家に依頼せず、freee[＊21]の会社設立サービスを利用して自分でおこなったので安上がりでした。

これはあくまで一例ですが、情報通信業は大きな設備投資が必要となる他の産業と比べて開業コストを相対的に低く抑えやすく、資金不足に陥りがちな創業間もないアーリーステージを乗り越えやすいのです。

つぎに、人が物理的に同じ場所に居なくても成り立つ点もメリットです。すでに多くの人たちが経験したように、オンライン環境さえあればどこでも働きやすい時代になりました。情報通信業の仕事の多くはリモートワークとの親和性が高いので、独立して地方で開業したり、2拠点生活をしたり、会社の理解によっては辞めずに所属したまま地方に移り住んで仕事をしたりといった柔軟な働き方や暮らし方を実践しやすいといえるでしょう。

〝外貨〟を稼ぎやすい

第1次産業時代は農産物、第2次産業時代は製造業の完成品や部品を付加価値として域外

に出荷し、得た利益を引き込むことで地域経済は潤ってきました。

では第3次産業時代の現在、農産物や完成品・部品に代わる付加価値とは何かといえば、ひとつにはクリエイティブ成果物があげられるのではないでしょうか。出版社の当社でいえば、プロローグでフィッシングにたとえたように、本を付加価値として域外に提供し、利益を地元に引き込むイメージです。

物理的な本を流通させるためにはロジスティクスに乗せる必要がありますが、電子書籍の場合はデジタルプラットフォーム上での取引なので在庫リスクはゼロ、かつ物流コストの負担もありません。

こうしたデジタルプラットフォームがこの10年で大きく発達し、さまざまな分野のクリエーターが稼ぐ力を強めてきました。

日本経済新聞社の本社コメンテーターの村山恵一氏のコラム[22]によると、アップル社は2800万人の外部開発者を抱え、アップルストア[23]を通じて開発アプリの取引を促しているといいます。たとえば運動や健康管理のアプリを開発する東京のIT企業は女性2人が興した会社で、自分たちがつくりたいアプリを開発してアップルストアで取引し、生計を立てているといいます。

このように、世界中のクリエーターの開発力や創作力を経済価値に転換するデジタルプラットフォームの発達により、「クリエーター経済」が出現したと村山氏は解説します。

現在、個人のクリエーターは世界で5000万人にのぼり、そのうち200万人はフルタ

＊22
「クリエーター経済を本物に　アップルCEOの10年と今後」（2021年8月13日、日本経済新聞）

＊23
アップル社が運営。アプリケーションをダウンロードするためのデジタルプラットフォーム

『年収は「住むところ」で決まる 雇用とイノベーションの都市経済学』（エンリコ・モレッティ著／発行：プレジデント社）

イムに匹敵する収入を得ているとのこと。

こうしたクリエーターは働く場所、住む場所といった物理的な制約に関係なく日本国内、さらには世界中で稼ぎ、自分が身を置く地域に利益を引き込むことが可能です。第１次産業の農地に代わるビジネスフィールドがネット上に広がっているようなものなので、ネット上で付加価値を育て、収穫し、そのまま収益化までできてしまいます。

こうしたクリエイティブワークこそ、好きな場所で好きな人と住み暮らしながら働くライフスタイルにふさわしい仕事であるといえるでしょう。

地域経済に与える影響が大きい

情報通信業を始めとしたクリエイティブ産業が地域経済に与える影響が大きい点もメリットです。

前章で紹介した『脱東京』で取り上げている書籍『年収は「住むところ」で決まる』（プレジデント社）の著者エンリコ・モレッティ氏によると、ＩＴ企業などのイノベーション関連企業の雇用が１人増えると、その地域のサービス関連の雇用が新たに５人生まれるといいます。

「私がアメリカの３２０の大都市圏の１１００万人の勤労者について調査したところ、ある都市でハイテク関連の雇用が１つ生まれると、長期的には、その地域のハイテク以外の産業でも5つの新規雇用が生み出されることが分かった」
「私の分析によれば、伝統的な製造業の場合、1件の雇用増が地域に生み出すサービス関連の新規雇用は1・6件で、ハイテク産業の3分の1にも満たない」(以上、『年収は「住むところ」で決まる』の引用/『脱東京』参考)

アメリカの大手IT企業をベースとした分析なので、日本と一概には比較できないと思います。それでも旧来産業の製造業より、IT企業を始めとしたクリエイティブ産業の企業のほうが、とくに雇用面においては地域に与える経済メリットが大きいといえそうです。

ローカルシティワークのメリットは無限大!

地方で付加価値を生み、利益を地元に引き込む働き方、暮らし方――そんなローカルシティワークのなかでも、田舎暮らしの良さを軸に少しだけ語ってみたいと思います。ぼく自身が地元へのUターン経験者として、田舎と都市部を往復する生活を楽しんできました。そんな暮らしぶりのほんの一端をお伝えできればと思います。

職住近接――人間本来の働き方、暮らし方が可能に

加東市にUターン後、まず幸せに感じたのが職住近接です。満員電車でストレスを抱える

こともなく、起床後、徒歩ゼロ分で職場に到着です。物理的に移動する時間も必要ありません。出勤に相当する時間を家族との団らんにあてたり、自己研鑽や趣味に使ったりといった有効活用も可能です。まさにノンストレス、高クオリティライフです。

移住前に家族で住んでいた兵庫県尼崎市でも自宅をオフィスにしていたので、職住近接という意味では同じです。しかし後述のように、田舎と都会を往復するデュアル生活を送りながら、自然あふれる田舎の自宅で家族の存在を感じつつ、原稿を執筆する暮らしは幸せでした。

コロナ禍で多くの人がリモートワークを経験した結果、オンとオフの区切りがつかない、子どもが遊びたいと近寄ってきて仕事にならない、といった悲鳴とも喜びともつかない声をよく耳にしました。職住分離による通勤苦と比べると、そんな悩みは些細なものだと、ぼく自身は感じます。自宅で快適に仕事をするための工夫はいくらでもできるものです。

何より、好きな人と好きな場所に住み暮らしながら、仕事まで同じ場所でできる贅沢——これを一度経験してしまうと、もはや会社勤めには戻れません。

ぼくはライター時代に運営していた個人ブログで、職住近接の何気ない日常を定期的に投稿していました。そのうちのひとつ、「5歳の娘のいたずら」というタイトルの投稿をご紹介しましょう（写真2－1）。

写真２－１
「５歳の娘のいたずら」

帰宅すると、
仕事机のメモ用紙に花が咲いていた。
娘のしわざだな。
思わず笑みがこぼれる。
そして、「これ描いたん？」
娘に聞いてみると。
「お父さんのお仕事の紙、
小さな花やったら大丈夫やと思って描いてん」
彼女なりの遊び心だったのだろう。
田舎での職住一体の生活ならではの
娘のいらずら。

自然（癒し）と都会（刺激）のバイオリズム

高校を卒業して18歳で加東市を離れ、ちょうど18年後の36歳でUターンしたとき、「田舎暮らしはやっぱりいいなあ」としみじみ思いました。具体的に何が魅力と感じたのか、当時、まとめていたメモがあるので列記しましょう。

◎空気がきれい
◎夏の夜は虫の音が美しい（精神的に落ち着く）
◎野菜が安くみずみずしく元気で美味しい
◎近所の人から野菜をもらえる
◎自然の中で子どもを育てられる
◎公園が多く子どもを遊ばせる場所が充実している
◎田舎の土壌で子どもの心の基礎を築いてあげられる
◎渋滞が少ない
◎お店の混雑が少ない
◎ランニングする場所に困らない
◎両親の近くに住んでいるので安心
◎仕事部屋からの景色がきれい
◎美味しいお店はほんとうに美味しい
◎田舎と都市部の往復でバイオリズムが整う

このうち、「自然の中で子どもを育てられる」についてまず補足しましょう。ぼく自身が田舎で生まれ育ったこともあり、子どもができたら同じように田舎で育てたいと思っていました。

写真2-2
「田舎の空は広い」

おじいちゃんが買ってくれた凧を揚げて遊ぶ娘。
凧を見上げて、
しばし空の大きさに見入った。
空が広い。
それだけで気持ちが大きくなる。
それだけで心が豊かになる。
田舎で子育て。
そのために地元にUターンして
ほんとうによかった。
娘よ。大きく育て。

自然あふれる土壌で心の基礎固めができるのは、子どものうちしかありません。大人になれば、自らの意思で田舎暮らしを選択することはできますが、子ども時代には親の環境にゆだねるしかありません。つまり子どものときに自然あふれる環境で過ごせるか否かは親次第だということです（写真2－2）。

もちろん、多様な環境やチャンスのある都市部で子ども時代を過ごす良さもたくさんあるでしょう。子どもをどんな環境で育てたいのか、家族でどんな暮らしをしたいのか、家族同士で価値観を話し合い、共有することが大切です。

つぎに、「渋滞が少ない」についても補足しましょう。田舎道なので渋滞しにくいのは当然なのですが、ここでの意味はちょっと違います。行楽地などに遊びに行く際の渋滞を指しています。人口の少ない地域からの移動なので、行きも帰りも渋滞が起きる道とは逆方向で快適なのです。「な〜んだ、そんなことか」と思いますか？　いえいえ、これが思っている以上にノンストレスです。

ぼくがUターン前に住んでいた兵庫県尼崎市は人口密度が県内でもっとも高い地域です。その尼崎から休日に車で移動する際、行きも帰りも常に渋滞に巻き込まれて大変でした。都市部と田舎の両方の暮らしを経験したからこそ、車移動時の精神的負荷の違いがよく分かるのです。

「ランニングする場所に困らない」のも田舎暮らしのメリットのひとつです。プロローグでお伝えしたように、ぼくは学生時代、陸上競技に力を入れて取り組んでいました。大学卒業と同時に現役を退いたのですが、30歳でフリーランスとして独立したのを機に陸上を再開。それからしばらくは細々と競技を続けたのち、加東市にUターン後、幅広い年代の選手が出場できるマスターズ陸上に本格的に参戦するようになりました。

それまでは月に数回程度の練習でしたが、マスターズ陸上に出場するようになってからは平日のほぼ毎日、朝か夕方にトレーニングに励む日々を送っています。仕事をしながらの練

トレーニングをする際、いつもこの道から走り出している。「#北播磨を陸上のまちに」というハッシュタグでツイッターに投稿することも

習なので時間のやりくりが必要ですが、ここで田舎暮らしの利点が発揮されます。事務所のある自宅から一歩足を踏み出すと、そこにあるのは広大なトレーニングフィールドだからです。……というと少々大げさですが、つまり田舎なので走るための練習環境に困らないのです。

ぼくの場合は、普段は近くに流れる加古川の堤防でトレーニングをしています。そして幅跳びや三段跳びなどの専門的な練習が必要な際には、加東市の隣の小野市にある「小野希望の丘陸上競技場（アレオ）」に足を運んでトレーニングを積んでいます。

ちなみに小野市は、東京２０２０オリンピック女子１５００メートルで８位入賞した田中希実選手（豊田自動織機ＴＣ）の出身地でもあるなど、陸上競技がとても盛んな地域です。さらに加東市や小野市を含む北播磨地域には、ぼくの出身校で陸上競技に強い兵庫県立社高等学校、駅伝強豪校の兵庫県立西脇工業高等学校、県内有数の進学校で陸上競技にも力を入れている兵庫県立小野高等学校があるなど、昔から陸上競技に熱心な土地柄でもあります。まさに田舎は、スポーツに励む土壌として最適地である――そんなふうに感じています。

最後にもう1点、「田舎と都市部の往復でバイオリズムが整う」についても説明します。

すでにお伝えしたように、地元にUターンして以降、原稿書きなどの仕事は田舎の自宅でおこなう一方、取材は大阪市内を始めとした都市部でするという生活を続けてきました。ライター時代に都市部に取材に出ていたのは平均すると週に2、3回ほど。それ以外は自宅の事務所での仕事が基本です。

こうして田舎と都市部を往復していると、生体のリズムが整う気がするのです。都市部に出て刺激をもらい、田舎に帰り癒されるというか。宇宙に存在する森羅万象は陰陽の二元論で成り立つというのが東洋の伝統的な世界観です。田舎と都会の対極を行き来するのは、感覚や感性、自律神経といった人間を人間たらしめている深いレベルの均衡が保たれ、陰陽のバランスがとれる気がするのです。

田舎には田舎の良さ、都会には都会の良さがある。その両方を味わえる現在の暮らしを気に入っています。

自分ブランドが強化されていく

本書の取材でご協力いただいたシマトワークスの富田祐介さんから興味深い話を伺いました。都会発のブランドが、新ブランドのアンテナショップを淡路島に出店するケースが増えているというのです。

理由は、淡路島という人気の地域にあやかった展開です。競合ひしめく都会で新ブランドを発表しても埋もれかねませんが、淡路島でブランドを立ち上げるとメディアの注目度が高く、話題づくりになるというのです。

そうして淡路島でブランドを確立したうえで、都市部に戻ることで「あの淡路島の人気ブランドが○○に初上陸」といった、まるで〝逆輸入〟のような効果を期待できるということでした。

面白い！　と思うと同時に、これは「人」にも当てはまるのではと思いました。クリエーターの数が都市部と比べて相対的に少ない地方でクリエイティブワークをおこなうことで、その人自身や活動内容にスポットが当たりやすいのです。「あの地域にはこんな面白い人がいるよ」と話題になり、「あの人に頼めばきっと面白い展開になる」と評判が広がっていきます。

ぼく自身についてはまったく大したことはありませんが、それでもスタブロブックスを立ち上げた際には地方新聞の取材を受けたり、ローカルテレビに出演したりといったこれまでに経験のない展開につながりました。つまり地方で活動していること自体にニュースバリューがあり、取り上げられることで自分ブランドが強化されていくわけです。

加えてUターンの場合、昔からお世話になっている人が地元での活動を応援してくれる喜びもあります。ぼく自身も地域の方々が本を紹介してくださったり、自費で購入して配ってくださったりと、多大なサポートをしてもらっています。そうした周りの方々の口添えに

『一歩ふみだす勇気 挑戦する力をきみに』（高橋惇著／発行：スタブロブックス）

よって自分の存在が地域に知れ渡り、ますます活動しやすくなる、そんな好循環を実際に経験しています。

自分の仕事で地元を元気にできる

自分のスキルを使い、わずかでも地域に貢献したい――地元にUターンする際、そんな思いを頭の片隅に置いていました。地方発の情報発信の受け皿として「仕事百科事典 加東市版」をライフワークで立ち上げたのも、ライターとして磨いてきたスキルを使って地元に恩返しがしたいと思ったからでもあります。

出版活動でいえば、全国の子どもたちに向けてつくった書籍『一歩ふみだす勇気』（高橋惇著）を地元の学校に寄贈するプロジェクトを立ち上げました。加東市で出版社を経営する以上、地元の1人でも多くの子どもたちに読んでもらいたい、そんな思いで学校の図書室に1冊ずつ置いてもらうことにしたのです。

各校の校長先生を訪ね、思いを伝えて本を寄贈すると一様に喜んでもらえました。さらに学校によっては同著の著者である高橋惇さんの講演会を企画してくださるなど、地元で出版活動をする喜びをしみじみと感じています。

あるいはこれはプライベートの活動ですが、陸上をがんばってきた経験をもとに、地元加東市の陸上競技協会に理事としてかかわってきました。小中学校の試合で審判をしたり、地元の子どもたちを対象とした陸上教室で走り幅跳びのコーチをしたり。

陸上で立派な成績を残してきたわけではないですが、地元の陸上大会で小学6年生のときに出した走り幅跳びの記録が30年以上経った今も残っていたりはします。こんなぼくでも地元の子どもたちの競技力向上に少しでも貢献できるのであればと、可能な限り活動に協力してきました。

スタブロブックスの影響力はまだまだ微々たるもので、地元に大きな貢献ができているわけではありません。それでも、積み上げてきた経験やスキルを役立てて、地元やゆかりのある地域を元気にできる、そんな手ごたえを感じられるのもローカルシティワークの醍醐味のひとつといえるでしょう。

本当の意味での地方創生・地域活性化の主役になれる

今、スタブロブックスの出版計画のひとつとして『ジモトブックス』構想を描いています。『ジモトブックス』とは文字どおり、地元を元気にするための本づくりのビジョンです。具体的な計画づくりはこれからですが、ざっくりとしたイメージはつぎのとおりです。

- 地元加東市の人たちで本づくりチームを発足し、1冊丸ごと加東市ブックを制作する
- 加東市の紹介に特化し、全国の書店で販売する成果物としてふさわしいクオリティをめざす
- 加東市の人たちから寄付を募り、額に応じたリターンを提供する

・地元の学校と連携し、小中高生を巻き込んだ企画・編集ページを設ける
・『ジモトブックス』を通じて全国の人たちに加東市を知ってもらい、全国で売り上げを立て、得た利益を地元に引き込む
・加東市版の『ジモトブックス』で成功パターンをつくり、他の地域に広げていく

当社は出版社なので、地方発本づくりを通じた地域貢献の方法を探っています。その手段のひとつが『ジモトブックス』構想です。

地方創生や地域活性化というと大げさな話になりますが、身の丈に応じた地方での活動で付加価値を生み、得た利益を地元に引き込めるローカルクリエーターが日本中に増えていけば、地方創生や地域活性化に少しずつでもつながっていくのでは——そんなことを考えながら活動しています。

3.

地方で活躍する「プロフェッショナルズ」ファイル

ケース①

地方×コミュニティデザイン

兵庫県加東市（北播磨）

共生研究家・共生コーチ

牛飼勇太さん

スキルとブランド力、そしてデジタルツールを武器に、築100年の古民家から全国とつながり多彩に情報発信

【プロフィール】

鹿児島出身の両親のもと、1981年に大阪にて生まれた三兄弟の長男。共生研究家・共生コーチ。兵庫県加東市の里山付古民家で家族と仲間と住み、人間同士はもちろん、〝自然〟と〝人〟が共に生きる心地よい関係を探求している。同時に何が資産なのかを見つめ直し、経済に飲み込まれない生き方も説いている。人の幸せに貢献することを使命とし、コーチングの技術も使いながらクライアントと「幸せとは何なのか」という問いに共に向き合うところから始めている。

好きな場所で、好きな人と過ごしながら、好きな仕事をしたい

あるときは大阪や兵庫の市や町からの依頼でまちづくりを支援したり、またあるときは飲食店のコミュニティづくりをサポートしたり。あるいはコーチングメソッドを用いて事業者の目標達成や課題解決の支援をしたり、東京で活動する社会起業家のブランディングサポートをおこなったり――。

牛飼勇太さんの肩書や仕事の内容をひと言で説明するのは難しいけれど、共通しているのは兵庫県加東市の古民家物件を拠点にしていること。

兵庫県加東市とは、プロローグで紹介したように、本書の発行元であるスタブロブックスの所在地でもある。大阪市内から直線距離にして西へ約55キロ。兵庫県の主要都市部は瀬戸内海に近い湾岸エリアに集中していることもあり、同じ兵庫県の阪神間の人でも内陸の加東市や北播磨エリアを知らない人は多い。

そんな兵庫県の中でもマイナーな地方である加東市を拠点に、牛飼さんは全国各地の人たちと自在につながりながら、軽やかにビジネスを展開している。

武器はデジタル技術だ。Ｚｏｏｍなどのオンラインツールを使い、加東市の古民家から全国に情報を発信し続ける。

「今のこの環境は、好きな場所で、好きな人たちと過ごしながらできる仕事を突き詰めた結果なんです」

牛飼さんは現在の働き方、暮らし方をそう話す。

コロナが来ても、働き方、暮らし方に変わりはなかった

「正直、コロナ禍になっても僕の働き方、暮らし方にはほとんど変わりがなくて。むしろテレワークが普及したことで仕事の幅が広がりましたね」

その言葉どおり、牛飼さんはコロナの影響でテレワークの必要性が叫ばれるより以前からＩＴやデジタルツールを使いこなし、人と人が信頼関係を築き、かつ自然と共生しながら楽しく暮らせるコミュニティの在り方を模索し続けてきた。

そして加東市に腰を落ち着けて3年目、新型コロナウイルスで世界中が大混乱に。それでも牛飼さんの生活の軸はぶれることなく、好きな人と過ごしながら、好きな仕事をして暮らす理想の日々を送り続けることができた。多様な環境に適応しやすい田舎暮らしのしなやかさを、まさに体現しているといえるだろう。

山の生態系の一部として暮らす

そんな牛飼さんが仕事と暮らしの拠点にしているのは、兵庫県加東市新定にある築100年以上の古民家シェアハウス「播磨CASAGOYA」。この物件は牛飼さんが会社で所有し運営するシェアハウスであるとともに、牛飼さんのご一家（奥様、お子さん2人の4人家族）が暮らす住居でもある。

「この物件には約8000平米の裏山もついているんですよ」

その説明を聞いて裏手を仰ぎ見ると、なるほど人の手が入った道が山の奥に続いている。

「この里山ではタケノコや椎茸、山菜などの旬の味覚が採れるんです。子どもたちに『山で椎茸採っておいで』と言うと喜んで登っていきますよ」

山付き物件は、管理の問題などから一般には敬遠される傾向があるのだそう。

「でも僕は、山の生態系の一部として暮らせるのは素晴らしいと思ったんです。単なる古民家生活ではなく、里山体験もできる田舎暮らし――そんな〝循環〟をキーワードとした暮らしのコミュニティづくりに取り組んでいきたいですね」

そう話すように、牛飼さんは冒頭で紹介した肩書だけでなく、シェアハウスコンサルタントも生業としている。これまで神戸市や芦屋市、鹿児島市などでシェアハウスを営んできた。現在はシェアハウス事業から事業者支援業にウェイトを移し、加東市の一拠点のみ管理。そして「播磨CASAGOYA」を単なるシェアハウスではなく、多くの人がかかわる〝コミュニティハウス〟という枠組みに広げて運営している。

笑顔を大切に生きた父の姿に学んだこと

左右に広がる大きな屋根が目印の「播磨 CASAGOYA」。共有スペースを含めて計6部屋ある

大阪府堺市出身の牛飼さんが加東市に移住し、「播磨CASAGOYA」を開いたのは2017年。幅広い肩書と同様、経歴にも奥行きがある。

「大阪市内で美容師として働いていたとき、最期まで笑顔を大切に生きた父の他界から〝生きることの尊さと儚さ〟、そして〝笑って生きることの大切さ〟に気づかされました。その父からの学びを胸に、〝笑顔になる言葉〟をつづりながら旅する笑顔旅詩人『牛飼座』として活動を始めることにしたんです」

気づいたときには末期だった。それでも牛飼さんの父は決して弱音を吐かず、見舞いに来た人たちに落語を語って聞かせるなど、常に前向きで笑顔を絶やさない人だったという。

「街に出ると、難しい顔をして歩いている人が多い気がします。もっと世の中に笑顔を増やすためにはどうすればいいんだろう――そんな思いで路上に座り、笑顔になる言葉を書いて旅する生活を始めました」

当時、20代半ば。大阪からスタートした「牛飼座」の活動は日本一周の旅となり、やがて海外へ。「微笑みの国といわれるくらいだから笑顔のヒントがあるだろう」とタイに渡り、さらに北米大陸の横断へと旅は発展していった。気づけば、ストリートを中心に3万人以上の人たちに言葉をつづっていた。

「日本一周時には詩集の出版も経験しました。路上で道行く人たちに言葉を書いてきたのと同じように、白紙で印刷した2000部の1冊1冊に筆文字で詩をしたため、発売したんです」

出版文化は活版印刷の発明によって花開いたように、複製できるのが出版物のメリットだ。「でも自分の作品はコピーしたくなくて、2000冊をぜんぶ自分の手で書き切ったんです」。一人ひとりに対して、丁寧に言葉を届けたいとの思いからだった。

旅を終えたあと、友人に誘われて大阪市内でカフェの開業と経営を手伝う。その後、美容師時代からの応援者の依頼で広告会社の立ち上げにもかかわった。

多彩な経歴の末にたどり着いた田舎暮らし

同じころ、牛飼さんは現在の古民家シェアハウスにつながる暮らしを始めている。神戸市の六甲山上の旧学校施設を借りて住み始めたのだ。

「3年間の旅生活でさまざまな人たちの生き方に触れるとともに、多様な生物と共生する自然の在り方を学びました。だから帰国後は自然に囲まれた暮らしがしたいと思い、出合ったのが六甲山上の物件だったんです」

最初はひとりで住んでいたが、仲間を募ると10人近くが集まり、共同生活に発展していった。以前は学校だった建物とあってスペースは十分。やがて個性豊かなシェアハウス「六甲山 Viaggio」ができ上がった。

「共同生活を始めてみると、家族でもなく、友人でもない関係が心地良かったんです。そこで事業としてシェアハウスを運営し、心地良い人間関係を大切にするコミュニティづくりに力を入れ始めました」

以降、牛飼さんは神戸や芦屋、鹿児島にシェアハウスを次々オープン。自らオーナーとなって運営するかたわら、シェアハウスの立ち上げやコミュニティづくりのコンサルティングを手がけるように。

「そうやって自分自身も六甲山上で共同生活をしながらシェアハウスの運営やコンサルティングに携わるな

かで、次第に『自然×コミュニティ』の在り方を考えるようになりました。ちょうど六甲山の物件が老朽化してきたこともあって、自然あふれる田舎の古民家物件に移住しようと考え、２０１７年にめぐり合ったのが『播磨ＣＡＳＡＧＯＹＡ』だったんです」

移住の条件は「神戸から1時間以内の古民家」

こうして大阪での街暮らし8年、旅人3年、六甲山上での山暮らし4年を経て、加東市で田舎暮らしをスタートすることになった。

そこで気になる点がひとつ。仮に兵庫県内だけを見ても田舎と呼ばれる地域はたくさんあるなか、どうして加東市を選んだのだろう。

「まず物件を探すにあたり、〝神戸から1時間以内の古民家〟で絞り込みました。その条件に当てはまる物件を見て回った結果、最終的に加東市にたどり着いた感じですね」

ではなぜ現在の「播磨ＣＡＳＡＧＯＹＡ」の物件だったのか、おもな理由は３つあるという。

「まず１つ目は『物件』そのものです。築１００年以上の古民家ながら管理が行き届いていて、構造部の大規模な再生が必要ありませんでした。おもに手を入れたのは、６部屋に区切ったり、システムキッチンを新設したりといったシェアハウスとしての機能をもたせるためのリノベーションが中心です。さらに裏山がついてくる点も魅力でした」

つぎに２つ目は「ロケーション」だ。

「前提として、わざわざ地方に移住しようとしているのに、住宅密集地に住みたいとは思わないんですよ。これは都市部から地方に移住を検討する人たちに共通する思いです」

だからといって、都市部から何時間もかかるような田舎ではやはり不便。

「その点、加東市新定は自然豊かで周囲に住宅も少ない一方、都市部からのアクセスはほどほどに良い、つまり〝不便すぎない田舎〟という絶妙なロケーションなんです」

このことは牛飼さんだけでなく、スタブロブックスを経営するぼく自身も常日頃、実感している加東市暮

周りに民家が少ない自然あふれる好立地でありながら、神戸に1時間以内で行けるロケーションも魅力

らしのメリットのひとつだ。

当社の所在地から神戸までは車で1時間、大阪市内までは車と電車を利用すれば1時間半。出張で伊丹空港を利用する場合でも、車を使えば1時間で着く。牛飼さんが暮らす新定地区は加東市の中でも阪神間寄りなので、神戸には1時間以内、大阪には1時間程度で行けてしまう。地方では車が必須とはいえ、満員電車に揺られて都市部に1時間以上かけて毎日通勤するしんどさを思えば、気持ちも体もずっと楽だ。

田舎を拠点に都市部を往復する働き方

「アクセス面でもう少し付け加えると、大阪府と山口県をつなぐ中国自動車道のひょうご東条インターや高速バスの乗り場にも近くて便利です。自家用車でもバスでも大阪には1時間ほどですし、ほんとバランスのいい田舎だなと住むほどに思います」

高速バスを利用すれば運転する必要もないので、乗り込んでパソコンを開くだけで、たちまちオフィス環境ができ上がってしまう。

「パソコンやスマホがあればどこでも仕事ができる人であれば、バスや電車での移動時間も有意義に使えます。自然あふれる田舎に住み、必要に応じて都市部を行き来する働き方はごく自然とできてしまいます」

そして最後の3つ目の理由は「人」。移住を検討する際、地元の人たちに受け入れてもらえるかはやはり心配になる。

「幸い、新定の皆さんはウェルカムだった点も、この物件に決めた理由のひとつですね。ちなみに、ここは加東市新定の『笠小屋（かさごや）地区』といいます。『播磨CASAGOYA』という名前の由来です」

暮らしを豊かにする3要素

加東市に移住して3年。田舎暮らしの実感を牛飼さんに聞いてみると、「暮らしを豊かにする3要素」として「休息」「食」「交流」の3つを教えてくれた。

「安心して休める環境があり、食べ物が美味しくて、信頼できる仲間と気兼ねなく交流できる関係性――この3つが揃えば暮らしが豊かになると思うんです。加東市の古民家シェアハウスでの生活は、そのすべてが満たされている環境ですね」

「播磨CASAGOYA」には牛飼さんのご家族に加え、牛飼さんのビジネスパートナーや2拠点で教鞭をとる大学の先生など、心おきなく共同生活を送れる仲間が入居している。

食という意味では、加東市は日本一の酒米と評される山田錦の産地だけあって農業が盛んで生産者との距離が近く、新鮮な野菜が手に入りやすい。

さらに里山を通じて多くの生き物と触れ合ったり、自然の恩恵をじかに感じたりすることもできる。

健康に生きたければ「分散」が必要

「自然との共生を学んできた僕にとって、コロナの出現はある意味で想定内の出来事なんです」

牛飼さんはそう話し、さらに続ける。

「多様な生物が共存する自然界の摂理として、同じ種族が一か所に集中すること自体が不自然です。自然界には恒常性（こうじょうせい）といって、生物が自らの環境を一定に保

仲間たちがいつも集まる「播磨CASAGOYA」。里山暮らしを共に楽しむ「CASAGOYAファミリー」も募集している

ち続けようとする力が働いています。だから増えすぎると減らそうとするし、減りすぎると増やそうとする。そうやって均衡を保っているのが自然なんです」

つまり不自然はやがて自然に回帰していく、ということだろうか。

第1章で紹介した書籍『都市は人類最高の発明である』の内容をそのタイトルどおりに受け取るならば、都市は人間が生み出した最高傑作といえるのかもしれない。

しかし過度の密集は公害や犯罪、さらに日本においては住居の郊外化によって通勤苦といった負の側面も生み出した。つまり過密化した都市生活は、人間本来の生き方や自然の在り方とは乖離してしまったということだろう。

その結果、牛飼さんが話すように、コロナという強制転換装置によって自然界の調整が入ったとすれば腑に落ちる。

「たとえば〝過食〟は不健康ですよね。腹八分目という言葉もあるように、何事も〝過〟を控えるのが大切なんです。空腹健康法もあるくらいで、食事を意図的に減らして飢餓状態にもち込むと、活性酸素の発生を抑えるサーチュイン遺伝子のスイッチが入って体が強くなる。これは極端な例ですが、暮らしの環境も同様、やはり過度の密集は人間にとって不健康です。健康に生きたければ、適度に分散が必要だと思います」

自然との共生を探求し続けてきた牛飼さんだからこその示唆に富んだメッセージといえるだろう。

テクノロジーが理想の働き方、暮らし方を可能にした

さて、牛飼さんの仕事内容をもう少し詳しく紹介しよう。現在は「コーチング」「地域活性化」「コミュニティデザイン」「シェアハウスの運営&コンサルティング」の4つの事業を展開している。

1つ目の「コーチング」とは、自発的な行動や成長をサポートするコーチング技術を活用し、企業や組織、個人などの活動を支援すること。スポーツ選手のコーチが日々のトレーニングから試合当日のマネジメントまでサポートするのと同じように、企業や個人のコーチとして、信頼関係づくりや目標達成、課題解決に向かう手助けをする仕事だ。

「このコーチングの技術を今後さらに進化させて、〝共に生きる〟ことの喜びや尊さを人びとの営みに活かせるようにしたいですね。これまで僕自身が探求してきた〝自然の在り方〟と〝コーチング技術〟を掛け合わせた〝共生コーチ〟として、地域や企業のチームに入り込み、コーチングのお手伝いができればと思っています」

2つ目の「地域活性化」とは、自治体や地域支援をおこなう企業と組み、地域を盛り上げるための企画から運営サポートまで手がけること。

そして3つ目の「コミュニティデザイン」とは、たとえばコロナ禍の現在では企業や個人のオンラインサロン化を支援するなど、会員化のしくみづくりをサポートすること。

最後の4つ目の「シェアハウスの運営&コンサルティング」とは既述のとおり、自らシェアハウスを運営するとともに、シェアハウスを立ち上げたい人にアドバイスを提供するのがおもな内容となる。

「いずれの仕事にも共通していえるのは、パソコンがつながる環境さえあれば、自分はどこに居てもいいことですね」

今やデジタルツールを活用すれば、都会のど真ん中に居ようと過疎地に居ようと関係ない。

「これまでも自然との共生を模索する人はたくさんいたと思いますが、経済活動との折り合いをつけるのが難しかったと思うんです。でもデジタル技術が整った現在であれば、テクノロジーを駆使することで地方に居ながら必要な人とつながり、自分が面白いと思える事業を展開し、しっかり稼ぐことが可能です」

この10年で成熟したITやデジタルの技術が人びとの働き方、暮らし方を変えたのだ。

暮らしと仕事の距離が近くなるからこそ、より自然体で力を発揮できるように

コロナによって都市部の密集環境のリスクが顕在化したことで、人を分散させるテレワークが普及したとともに、地方に目を向ける人が一気に増えた。ではコロナが収まったあとの世界はいったいどうなるのだろう。

牛飼さんに問いを向けると、「自然体」をキーワードにこんな話をしてくれた。

「いったん浸透したテレワークはコロナ後もある程度は残るでしょう。これが何を意味するのかといえば、暮らしと仕事の距離が近くなるということです。だからこそ、『やるぞ』とスイッチオンにして働くより、家族と楽しく過ごしながら自然体で能力を発揮できる中庸の精神が求められるはずです」

つまりオンでもなくオフでもなく、穏やかな心持ちで働き、暮らすことが豊かな人生を送る秘訣ということだ。

さらに「オンラインで人との関係性がより丁寧になっていきます」と牛飼さん。

「リアルの場では偶然の出会いがありますが、オンラインの場ではすでに知っている人とのつながりが前提ですよね。だからこそ、今後はすでに築いている人間関係をこれまで以上に丁寧に育んでいくことが大事になっていきます」

牛飼さんのFacebookの友だち数は4300人以上（2021年8月現在）。新しい取り組みを始めたり、オンライン交流会を企画したりした際、Facebookに投稿するだけで興味をもつ人の参加が相次ぐ。

Facebookというひとつのフォーマットだけでもこれだけのコミュニティをもつ牛飼さんだからこそ、すでに知っている人との関係性をさらに深めることの大切さを、コロナによってより実感しているのだ。

仕事や暮らしをより充実させるために必要なこと

計算や記録といった効率重視の作業はAIが代替してくれる時代になった今、人間にしかできない仕事や楽しみ方とは何だろう。

「AIにできることはAIに任せればいいと思います。ではAIには代替できず、他の生き物にもない人間ならではの特性は何かといえば、人とのコミュニケーションを育んだり、エンターテインメントやアートを楽しんだりすることです。こうした人間に備わった固有の特性、すなわち感性や感覚を磨いていくことで、仕事や暮らしをより充実させられるのではないでしょうか」

心地よい人間関係を前提に、好きな場所で、好きな人と、好きな仕事をして暮らす。牛飼さんがめざして取り組んできた働き方と暮らし方、そして人とのかかわり方は、コロナによって多くの人たちの意識が変わろうとしている今、ますます求められるようになる——今回の取材を通して、そんなことを思った。

ケース②

地方×起業

新潟県新潟市
フラー株式会社
代表取締役会長
渋谷修太さん

「新潟×起業×高専」の合わせ技で地方を盛り上げる！コロナを機に新潟にUターンした起業家・渋谷修太の新たな挑戦

【プロフィール】

1988年生。新潟県出身。国立長岡工業高等専門学校卒業後、筑波大学理工学群社会工学類へ編入学。グリー株式会社を経て、2011年11月フラー株式会社を創業、代表取締役に就任。2016年には、世界有数の経済誌である「Forbes」により30歳未満の重要人物「30アンダー30」に選出される。2020年6月、故郷の新潟へUターン移住。2020年9月、新潟ベンチャー協会代表理事に選任。2020年10月、長岡高専客員教授に就任。

新潟の人口が日本でいちばん多かった!?

「コロナは、地方の価値をふたたび高める100年に一度のゲームチェンジャーです」

2020年6月に故郷の新潟にUターン移住するとともに、現在会長を務めるフラー株式会社の登記上の本店も新潟に移した起業家の渋谷修太さんはそう強調し、さらに続ける。

「今から百数十年前、新潟の人口が日本でいちばん多かったのをご存じですか？　19世紀は地方、とくに日本海側が日本をけん引していたんです。それから百数十年経ち、コロナで都市部から地方への人口移動の流れが生まれた今、この歴史的なチャンスをつかまない手はありません」

この渋谷さんの言葉を聞き、（新潟の人口が日本でいちばん多かった?）とにわかに信じられずに調べてみると……なるほど、日本の人口大移動の歴史が見えてきた。

統計が残るなかで新潟県の人口が日本一になったのは、さかのぼること約150年前の1874年（約163万人、新潟県調べ）。その後、1877年に石川県にトップの座を譲り渡すが、1882年に新潟がふたたび日本一に返り咲いている。

なぜ新潟や石川といった日本海側エリアの人口が多かったのかといえば、理由は農業と海運業だ。第1次産業が中心だった明治時代、稲作に適した気候が農業人口を育むとともに、海運の主要ルートだった北前船の活躍もあり、日本海側が産業の中心としてにぎわいを見せていたのだ。

その後、工業化と陸路の発達により、地方の人材が太平洋側の工業地帯や都市部に大移動を始める。そして多くの人たちが第2次産業に従事することで日本はものづくり大国となり、世界第2位の経済大国にのぼりつめた。1億総中流社会の幕が開け、日本全体がわが世の春を謳歌するようになったが、その裏側では都市部への人口集中が続き、近年は都市と地方の格差が問題になっていた。

「そんな過度の集中から解放されたタイミングが2020年です。業種業態にもよりますが、コロナに

2020年6月に故郷の新潟にUターン移住した渋谷さん。「新潟に帰る決断は、今のところ人生で最良の決断」と話す

よるテレワークで都市部にいなくても働けることが分かりましたよね。すると豊かな暮らしを求める人たちが地方に目を向け、Uターンや移住をする人が増えました」

この取材原稿を書いている2021年2月、興味深いデータが新潟日報から発表された。「2020年7～12月の下半期は、東京都から新潟県への転入者が転出者を上回り、52人の『転入超過』となったことが新潟県の調べで明らかになった」のだ。52人と聞くとわずかに思えるが、19年同期は659人の転出超過なので見過ごせない変化である。

人口移動の流れをマクロ視点で見ると、コロナ後も東京一極集中を覆すような地方回帰の動きまでは起きていない。しかし少なくとも新潟に限ってみれば、コロナを機に転入出の逆流現象が起きているのは確かだ。

渋谷さんはツイッターで新潟日報の記事を引用し、こうつぶやいている（2021年2月20日）。

あまり知られてないですが、昨年下半期で新潟はなんと、東京から転入超過になったんです。これ、凄いことですよ。今までずっと人口を奪われ続けてた東京から、わずかですが奪い返したのです。新潟は今、歴史上最もと言えるくらい重要な局面を迎えています。この機を逃さず、人を惹きつける街にしたい！（原文ママ）

このツイートは2021年8月現在、2350件の「いいね」を獲得し、引用ツイートを含むリツイート総数は479。いわゆるバズっていることからも注目の高さがうかがえる。

そしてこのつぶやきから感じとれるように、渋谷さんの故郷に対する思いは強い。実際、地元にUターンしてからの渋谷さんの活動は、すべてが新潟起点となっている。

後述のように新潟ベンチャー協会を立ち上げて地元起業家の育成に注力したり、母校の長岡高専の客員教授を務めたり。あるいはプロサッカーチームのアルビレックス新潟とフラーとのオフィシャルクラブパートナー契約を結び、スタジアムにも足を運んで熱烈な応援を続けている。

その渋谷さんの魂の応援がきっと選手たちに届いているのだろう、アルビレックス新潟は快進撃を続けている。

地方で100年に一度の「巨大な波」をつかめ

何が渋谷さんを、そこまで地元愛に駆り立てるのか。

「僕はビジネスで動き出す際に波を読んできたんです。10年前はスマートフォンの波をとらえてフラーを立ち上げ、成長させてきました。代表権をもつ会長に就任した現在のミッションは、スマホのつぎの波をいかにとらえるか。その意味で、コロナによる地方移住の流れは100年に一度の巨大な波。奇しくも、コロナ前から描いてきた地元への貢献と、ビジネスとして時代の波をつかむタイミングが一致したんです」

2011年に創業したIT企業のフラーは、今やアルバイトを含めると100人以上の規模に育ち、渋谷さんご自身は2016年に経済誌「Forbes」で「アジアを代表する30歳未満の30人（Forbes 30 Under

30 Asia)」に選出されている。

起業家としての才覚を若くして発揮してきた渋谷さんが、つぎなる大波として「地方」に着目したのが興味深い。

「地元への思い入れは強いですが、それだけじゃないんです。繰り返すように、地元での活動とビジネスが結びつく時代がやってきたわけです。地方を盛り上げるビジネスを、ゼロから生み出していきますよ」

みんなの夢をかなえるための会社をつくる

新潟県で生まれ育った渋谷さんは、ご両親の仕事の関係で県内各地（上・中・下越・佐渡）で暮らしてきた。「だからこそ特定のエリアではなく、新潟県全体に愛着があるんです」。

中学卒業後は国立長岡工業高等専門学校に進学し、すでに起業を志していたという。

「プログラマーをめざして高専に入りましたが、プログラムが得意な仲間がたくさんいるなか、僕は人をまとめて巻き込んでいくほうが向いていると思いました。だから『みんなの夢をかなえるための会社をつくるから、いつかいっしょにやろう』と当時から言っていましたね」

高専で5年学んだのち、筑波大学に編入して経営を専攻し、卒業後はグリー株式会社に入社。その半年後の2011年11月、モバイルアプリの分析支援事業を展開するフラーを立ち上げた。「いつかいっしょにやろう」との宣言どおり、高専時代の同級生や大学時代の友人と設立している。

「さらにフラーには小中学生時代の同級生も働いているんです。そんな彼らの話を聞くと、小学生時代から『みんなの夢をかなえるために会社をつくる』と言っていたらしいです。僕は覚えていないんですけどね（笑）」

会社の後輩の思いを受け、故郷新潟にオフィスを開設

そんな渋谷さんは、フラーの創業地として茨城県つくば市を選んだ。

「就職を機に六本木で働きましたけど、好きにはなれ

なかったんです。ざわついてるし、空気はきたないし、星は見えないし。ならば大学時代を過ごしたつくばにしようと」

大学在学中にカリフォルニア州のシリコンバレーに10日ほど行った経験も影響している。

「たとえばグーグル本社の敷地内にはビーチバレーのコートがあり、エンジニアたちは生き生きと楽しみながら働いていました。フラーもそういう会社にしたいと思い、都心から少し離れたつくばに決めたんです」

創業3年後の2014年には本社オフィスを千葉県柏市に移転し、2017年には故郷の新潟に拠点（翌年支店登記）を開設した。

「新潟にオフィスを出したのは、会社の後輩がきっかけです。故郷の新潟に帰らないといけなくなったけど、そうするとフラーで働けなくなると悩んでいて。だったら新潟にオフィスをつくろうって話になりました」

地方でのビジネスに不安が募ったが、ふたを開けてみると新潟オフィスは現時点で20名の社員を数えるまでに成長し、地元の企業や自治体とのつながりも増えた。

「県内の名だたる企業や団体から仕事を数多く依頼し

新潟オフィスの社内には社員がくつろげる畳のスペースも。窓外に広がる景色を眺めながらリラックスできる空間だ

てもらえるようになり、開発を手がけたアプリを通じてフラーというIT企業が新潟にあると認知されるようになりました。その結果、求人を出すと多数の応募が集まるようになったんです」

その言葉どおり、フラーは日本三大花火大会のひとつとして知られる新潟の長岡花火や、新潟県三条市に本社を置くアウトドアメーカーのスノーピークのアプリを手がける会社としても有名だ。

「新潟オフィスの社員のほとんどは、都内のIT企業を退職し、Uターンで帰ってきた人たちです。フラーのような会社を地方につくれば、都市部でスキルを磨いた人たちが働きたいと思ってくれる。そうやって新潟での展開に手ごたえを感じていた矢先、コロナで地方回帰の流れが加速されました」

柏の葉のオフィスも同様、結婚や出産などのライフスタイルの変化を機に、都内から郊外に引っ越してきた人たちが中心という。

「いずれの拠点のスタッフも、多くがオフィスから徒歩圏内に住んでいます。僕たち自身が住みたい場所にコミュニティ（会社）をつくったら、職住近接のライフスタイルに価値を見出す人たちが選んでくれた。東京で本当に暮らしたい人は、じつはそんなに多くないんじゃないかと思いますね」

自分の存在価値をよりいっそう実感できる場所

渋谷さん本人も新潟にUターンした理由は、前述のように「ひとつは地元愛、そしてもうひとつはビジネスで勝てる波が来ていること、この2つが新潟に揃っているから」だ。

「新潟を離れるとき、もう戻ってくることはないかもしれないと思っていました。ですがここ数年、故郷への思いがどんどん強くなっていたんです。というのも支店を出し、仕事で新潟とかかわる機会が増えるほど、びっくりするほど地元に貢献できるようになってきて」

企業や自治体の仕事を手がける一方、母校の長岡高専では客員教授を務める。新潟県内の経営者や行政関係者との人脈も広がり、「新潟に戻っておいでよ」と声をかけられる機会が増えていた。

「戻りたい気持ちはあるけれど、仕事があるから難しい。そんなふうに思っていたらコロナが来て、どこに住んでも仕事に影響が出にくい時代になった。どうせ暮らすなら、自分の存在価値をよりいっそう実感できる場所、自分がいちばん求められる場所に居ようと思い、新潟へのUターンを決断したんです」

新潟はビジネスチャンスの宝庫

では、渋谷さんの言う「ビジネスで勝てる波」とは何を意味しているのだろう。聞いてみると、「ざっとあげるだけでも3つある」という。

「まず1つ目は自然と食です。今年（２０２０年）の冬は雪がすごかったですが（笑）、それすらコンテンツになるほど新潟は四季折々の自然が楽しめる地域です。さらに米どころで海産物も豊富、とにかく食がうまい。コロナで自然を求める都市部の人たちに、そんな地域資源を提供できる強みが新潟にはあるんです」

ついで2つ目は「進化の速度」と渋谷さん。

「僕が新潟を離れて十数年経ちますが、故郷に戻って気づいたのは、あらゆる業界が10年前のままストップしていること。それらを現代風にアップデートするだけでビジネスになるし、競合も少ないのでその意味でもチャンスです」

そして3つ目は「歴史」だ。

「これは都市部に圧倒的に勝てるコンテンツです。なぜなら新潟が固有に育んできた歴史を東京が今からつくり出すことはできないからです。そんな新潟ならではの歴史をコンテンツ化することで、地域の魅力をアピールするのは十分可能です」

こうしたビジネスチャンスを具現化するのが、渋谷さんの専門領域でもあるＤＸだ。地方は都市部との情報格差に課題があるからこそ、ＤＸのニーズも効果も大きい。会長を務めるフラーの出番でもあるだろう。

さらに情報発信という意味において、渋谷さんは新しい試みにチャレンジしている。２０２０年９月、ユーチューバーデビューを果たしたのだ。チャンネル名は、「渋谷修太の新潟自慢」。ズバリ直球の打ち出しで新潟の魅力をアピールし、関係人口の創出につなげたい考えだ。

新潟をアップデートする若手起業家の育成に注力

新潟がビジネスチャンスの宝庫というのは分かった。では勝てるビジネスを地域貢献にどう結びつけるのだろう。渋谷さんの答えは、「新潟×起業×高専の合わせ技で産官学をつなぎ、新潟をアップデートしていく」と明確だ。

まず「新潟×起業」から。

「新潟には創業100年を超える老舗企業が数多くあります（2017年に創業100年以上となる新潟の老舗企業は1283社で全国5位、新潟県調べ）。そうした老舗企業が時代のニーズに応えるためには新規事業や業態転換が時に求められますが、新しい風を起こす若い力が新潟に不足しているんです」

そう課題を口にするように、新潟の起業率は全国最下位（都道府県別の新設法人率で新潟県は最下位、2018年東京商工リサーチ調べ）にとどまる。そこで新潟ベンチャー協会を立ち上げ、起業家育成に力を注いでいくことになった。

「たとえばスタートアップのアドバイスをしたり、若い起業家に僕の経験や知識を還元したり。起業して10年ほどやってきたので、地元の若手起業家や老舗の2代目、3代目の皆さんのお役に立てることがあると思っています」

ついで「新潟×高専」について。

「地方のDX化が求められている今、高専生の力が活きてくると考えます。そこで客員教授を務める母校の長岡高専と包括連携協定を結び、新潟や地方の課題を高専の力で解決するしくみをつくり上げていきます」

地域貢献をビジネスにつなげる活動を本格化するため、渋谷さんは自ら創業したフラーの代表取締役社長を退いて代表権をもつ会長に就任し、新潟に拠点を移したのだった。

東京を経由せず、ローカル×ローカルで地方を盛り上げる

「新潟発のビジネスで圧倒的な実績を出し、ゆくゆく

は地方活性化のロールモデルを他の地方に横展開していきたい」と意欲的だ。

「というのも地方の課題はある程度共通していますから、新潟で培ったビジネスモデルを他の地方に直接つないだほうが再現性が高いと思うんです。たとえば新潟で成功した地方活性化のビジネスモデルを栃木で試してともに地域を盛り上げたり、とかね」

コロナ以前は東京がビジネスのハブとなり、東京に集まってから地方同士が結びつくことも多かった。

「でも新潟空港を利用すれば関西や福岡に直接行けちゃいますし、なによりリモートを活用すれば場所を問わず、これまで以上に効率的につながれることが分かってしまった。地方と都市部の情報格差もDXを活用すればある程度解消できますしね。だったら東京を経由せず、ローカルとローカルが直接つながったほうが早いし、面白いビジネスが生まれるんじゃないかと思うんです」

新潟には固有の地域資源があるように、全国各地にもそれぞれに育んだ歴史や文化、伝統がある。一方で人口減少や経済衰退といった課題はすべての地方で共通だ。ならばわざわざ東京に頼らずとも、地方同士で手を組んで、ともに盛り上げ、ともに解決に向かうほうがきっと楽しいことになる――地域貢献とビジネスを有機的につなぐ渋谷さんならではの発想といえるだろう。

Uターンして故郷で働く良さ

ここでいったん執筆の手を止め、本書のテーマに立ち返りたい。というのも本書の軸は地方に移住後も都市部とつながる働き方、暮らし方を提唱しているからだ。

なかでも「ローカルシティワーク」の核となるのは、地方移住後も都市部のリソースを活用して付加価値を生み出し、都市部マーケットに提供した結果の利益を地方に引き込む好循環を生み出すこと。渋谷さんの「ローカル×ローカル」は一見、「ローカル×シティ×ワーク」とは異なるようにも思える。

この考え方を渋谷さんにぶつけると、「ローカルシティワークの発想は面白いので、逆にもっとエッジを立てて打ち出していけばいいと思いますよ」と賛同してくれた。

本書が定義する都市部のリソースというのは、単に都市部のヒト・モノ・カネ・情報だけではない。都市部でスキルと経験を養ったのち、地元にUターンした人材も含む。

とすれば、渋谷さんのように都心で起業家として活躍した人が地方に移住し、都市部で築いた経験や人脈を活用して地元を盛り上げる働き方、暮らし方こそ、ローカルシティワークなんじゃないかと思えてくる。

「コロナ後の働き方、暮らし方という意味でいうと、これまでは先に会社を決め、住む場所が決まりました。でも今後は、その順序が逆になります。つまり豊かな人生を求める人は、もっとも幸福を感じる暮らし方を先に考えるようになるということです」

たとえばリマースポーツやウィンタースポーツが好きな人は、海や山に近いエリアで住む場所を先に決め、その暮らしを実現できる働き方を考えるようになる。

「しかも従来は、仕事内容は住む場所にある程度縛られましたが、これからは好きな場所に住み暮らしながら、なおかつ好きな仕事に従事することも可能です。そんな二兎を得る働き方、暮らし方が可能な時代になりました」

その結果、フラーの社員がそうであるように、「職住近接」に価値を見出す人が増えているように感じる。

第1次産業が中心だった時代は農業従事者や職人が多く、職住近接が当たり前だった。それが工業化で職と住が切り離された時代が長く続いたが、コロナによる地方分散の流れが今後定着すれば、ふたたび職住近接が豊かな暮らしの象徴的なワークスタイル、ライフスタイルになるかもしれない。

筆者自身も２００８年にフリーランスとなり、10年以上職住近接を続けてきたからこそ、これこそが人間本来の働き方、暮らし方であるという確信めいたものがある。

登記上の本店を新潟に移し、〝新潟の会社〟として地域貢献

渋谷さんに本書の取材をＺｏｏｍで敢行したのは２０２０年10月。その直後の２０２０年11月16日、フ

ラー株式会社からニュースリリースが発表された。

「フラー株式会社 本店移転のお知らせ」と題された そのリリースを見たとき、地域貢献に対する渋谷さん の本気度を痛感した。「フラー株式会社は旧新潟支社 をオフィス移転し、さらに創業9周年の日である 2020年11月15日付で登記上の本店を新潟に移し、新たに『新潟本社』とした」というのだ。本社移転の目的は、つぎのように記されている。

「地域貢献への想い、昨今の地方回帰の趨勢、人材確保を通じた最良のモノづくり、メンバーのライフスタイル支援など、さまざまな面から本社のあり方を見直し、柏の葉本社と新潟本社の二本社体制で、それぞれの特長を最大限に活かした経営により中長期的な成長を目指すことといたしました」

地方の企業が本社を東京に移転するケースはあるが、フラーが示したのはその逆パターン。都市部で成功した企業が地方に還る、今後はそんな企業版の地方回帰の波が訪れることを期待したい。

「地方×DX」のモデルケースを新潟で

登記上の本店を新潟に移した背景には、「地方×DX」の動きを加速したい思いもあったという。

「地方にDXを根づかせ、地域活性化のモデルケースをつくる。そのためには新潟の立ち位置がちょうどいいんです。というのも現在の新潟の人口は47都道府県の中で15位と一定の規模があり、また新潟市は全国に20ある政令指定都市のひとつでもあります。日本の標準的、かつ代表的な自治体である新潟にDXを掛け合わせることで地域課題を解決していけば、そのモデルを同じ課題を抱える他の地域に横展開が可能と考えます」

そう話す渋谷さんの新潟での活動は、すでにいち企業の範囲を大きく超え、新潟県全体のスタンスでの動きに広がっている。

「たとえば新潟を活性化するために組織した共同事業体(共通の目標を達成するために組織した共同事業体)を立ち上げたり、企業同士のコラボレーションをサ

米シリコンバレーのオフィスを参考に設計されたNINNO。共用スペースのほか、カフェやプレゼンテーションが可能な大型スクリーンも

ポートしたり。県全体を良くする視点で各分野のキープレーヤーを結びつける〝結節点〟のような役割で活動していますね」

　フラーの新潟本社が入居するのは、新潟駅前の複合商業ビル（プラーカ２）に２０２０年11月に誕生したＩＴイノベーション拠点「ＮＩＮＮＯ（ニーノ）」。５Ｇ回線が引かれたこの施設には首都圏のさまざまな分野の企業がオフィスを続々開設しているほか、入居企業や利用者が活用できるコワーキングスペースの契約企業もすでに20～30社にのぼる。

「このＮＩＮＮＯがオープンイノベーションの場となり、集まる企業同士で共通のプロジェクトを推進し、新潟を活性化するための新しい動きを生み出していきたいですね」

将来は「ローカル×グローバル」も視野に

　さて最後に、渋谷さん個人の今後の展望をたずねると、「グローバル展開、スマホのつぎの波をとらえること、地域貢献の３つを30代で達成すること」と答えてくれた。

「まず2つ目と3つ目は30代前半に取り組み、コロナが落ち着くだろう30代後半に視野に入れているのがグローバル展開です」

2021年現在で32歳の渋谷さんはそう展望する。

「コロナが世界に広まってから、コロラド州のデンバーに移住するアメリカの人たちが増えているそうです。調べるとデンバーは四季折々の変化があって暮らしやすく、新潟に通じる地域性を感じます。今はコロナで日本国内に限定されますが、コロナが落ち着けば世界に視野を広げ、世界中のローカルとローカルをつなげるビジネスにもチャレンジしたいですね」

都心で活躍した起業家が新潟にUターンしたと思ったら、すでに視野は世界に向いている——。

ただし、共通するキーワードは「ローカル」だ。まずは地元貢献とビジネスの掛け算で新潟を盛り上げ、さらに新潟と他の地方をつないで日本全体を盛り上げてくれることを大いに期待したい。

ケース③

地方×企画

兵庫県洲本市（淡路島）

株式会社シマトワークス 代表取締役
富田祐介さん

淡路島の魅力を結びつけて価値を生み出し、島外に発信。関係人口を創出し、人と利益を島に呼び込むプロデューサー

【プロフィール】

1981年、兵庫県神戸市生まれ。大学卒業後の2年間、フリーランスの設計士として淡路島で活動。その後、東京に移住し組織設計事務所に入社。2012年に淡路島に移住し、「淡路はたらくカタチ研究島」の事務局の立ち上げと運営に携わる。2014年に企画会社の株式会社シマトワークスを設立、メンバーを増やしながら現在に至る。「わくわくする明日をこの島から」をモットーに、地域や分野を問わず観光・食・研修・新規事業など幅広く企画提案をおこなっている。2021年5月、「Workation Hub 紺屋町」オープン。

わくわくする気持ちを大切に、島とともに仕事をつくる

兵庫県の淡路島で企画会社を経営する富田祐介さんはチームづくりの天賦の才のもち主だ。

食や自然といった淡路島の地域資源に触れると発想がひらめいて、島外に発信するためのプロジェクトにしてしまう。そして企画を実現させるために仲間を募り、メンバーたちとビジョンを共有しながらアイデアをかたちにしていく。

「たとえば島内の食品加工業者が新たな製造機械を手に入れたと聞いたときには、淡路島の猪豚肉を使ったソーセージの開発を提案しました。最終的に食品加工業者、生産者、地元のカフェ、島外のホテル、当社の5社共同のプロジェクトに発展し、無添加の猪豚ソーセージの開発と販売につながりました」

そう話す富田さんが大切にしているのは、「プロジェクトや人に寄り添いながらわくわくする企画を提案する」こと。

「新しい人やモノ、コトに出会った瞬間に感じるわくわくとした気持ち——これが僕の原動力なんです。これまでに出会った人たち、そしてこれから出会える人たちといっしょに何ができるのかを考え、島の魅力と魅力を結びつけて新たな価値を創造し、多くの人に伝えたいですね」

自然体で話す富田さんの思いは社名にも表れている。「シマトワークス」、つまり〝島といっしょに仕事を創る〟をテーマにしてきた。

取材で印象的だったのは、「淡路島は〝島〟でありながら3つの市で構成され、ひとつの経済圏としても成立している」との言葉。

「島というと小さくて、経済的にも単独では成り立たない、そんなイメージがありますよね。でも淡路島は意外と広く、衣食住に関するあらゆる業種の事業主さんが島内にいらっしゃる。だから飲み屋に行くといろんな人たちと出会えるし、『こんな企画をやりたいね』と意気投合すればたちまち輪が広がり、チームが組めてしまうんです」

富田さんの言葉どおり、瀬戸内海に浮かぶ淡路島は

淡路島洲本市、シマトワークスの拠点から徒歩圏内で海を望める場所へ

東京23区（627・57平方キロメートル）とほぼ同じ面積（595・63平方キロメートル）を誇り、人口は離島でもっとも多い約13万人（平成30年1月1日兵庫県推計人口）。

一定の経済規模があり、島内だけでも暮らしが成り立つ。だから仲間意識が強く、いざチームを組んだ際の団結力もある。

ただし、島内で完結するだけのビジネスをしているわけではない。むしろ「淡路島×企画」の力で島発の付加価値を創出し、その魅力を島外に発信することで、島に人を呼び込んでくる。そうやって淡路島の関係人口の創出にひと役買ってきたのだ。

偶然の出会いで淡路島へ

富田さんは兵庫県神戸市垂水区の出身で、海を見渡せる高台の家で育った。自宅からは明石海峡大橋も望めるが、「まさか自分がこっち側（淡路島）の人になるとは思わなかった」と笑みを浮かべる。

将来は建築家をめざし、高校卒業後は大阪の大学へ。建築や設計を学びつつ、同時にイベントの企画にものめり込んだ。

「だから就活でも建築と企画の両方を学べる会社を探したんです。でも残念ながら見つからず、ならばと卒業後は独立へのステップとして、フリーランスでしばらく活動しようと思いました」

大学在学中にDIY（Do It Yourself）で建築設計に取り組んでいた富田さんは、作品集を携えて不動産会社などに営業して回った。しかし社会はそんなに甘くない。

「1週間後に卒業が迫っても反応はゼロ。ニートを覚悟したとき、ひとつの出会いが扉を開いてくれました」

神戸の会社のイベントを手伝っていたときのこと。打ち合わせに呼ばれ、東京のアートディレクターと出会った。淡路島で立ち上がるアート系NPO（NPO法人淡路島アートセンター）の視察で関西にやって来たという。

「NPOの活動では古民家再生の仕事もあると聞き、作品集を見てもらいました。すると気に入っていただき、急きょ、翌日の視察に同行できることになったんです」

その日は居酒屋の近くのホテルに泊まり、翌朝、淡路島へ。視察のなかで島の人たちとの出会いもあり、幸運にも古民家再生事業に参加できることになった。卒業まで1週間、ついにフリーランスで職を得たのだった。

以降の2年間、自宅のある神戸と淡路島を往復しながら古民家再生の仕事に従事。設計から施行まで建築に関する仕事に取り組めたうえ、嬉しい誤算もあった。企画の提案を求められる機会も多かったのだ。

「偶然の出会いで訪れた淡路島で、希望する両方の職種を経験できたんです。偶然のチャンスを活かし、飛び込んだからこそ開けた道です」

仲間との再会で、淡路島への移住を決断

フリーランスの設計士として活動した2年間を経て、富田さんは24歳で新たなチャレンジを企てる。30歳での独立をめざし、東京に出ることにしたのだ。

仕事のあてがあったわけではなく、「先に住む場所を決め、先に引っ越してしまった」と言うが、持ち前

の突破力で東京の設計事務所に就職。以降の5年弱、平日は都内を中心としたレジデンス系の設計に打ち込む一方、休日はイベントなどのプロデュースに時間をつぎ込んだ。

「すると僕のやっている企画を面白がって、『いっしょに活動しよう』と言ってくれる仲間が東京で増えていったんです」

やがて建築や設計ではなく、東京で企画会社を立ち上げるキャリアプランを描き始めると、今度は淡路の仲間から「島でいっしょに働こう」と誘いを受けるように。国の委託事業に取り組むので力を貸してほしい、そんな依頼だった。

当時は東京での独立を見据えていたので断ったという。

「ところが『面白いメンバーだから!』と何度も誘ってくれるんです。そこで断るつもりで淡路の仲間と再会すると、本当に魅力的な立ち上げメンバーばかりで。気づけば『分かった。いっしょにやろう!』と答えている自分がいました(笑)」

かくして、島の人になる決断をしたのだった。

淡路島発の魅力を外部に発信し、人と利益を島に引き込む

2011年3月末で東京の設計事務所を退職後、富田さんは「淡路はたらくカタチ研究島(現ハタラボ島協同組合)」の立ち上げに参画。2012年初頭に淡路島に移住し、事業推進を本格的に担うことになった。

事業のテーマは〝島と生きる。しごとをつくる。〟。島の生産者や事業者の仕事づくりをサポートし、地域に根ざした雇用を生み出すのが狙いだ。そのためにデザインや商品開発など各分野の講師を島に呼び、年間200本に及ぶ研修を開催。企画から予算組み、当日の運営まで、富田さんともうひとりのメンバーを中心に、ともに事業を立ち上げた仲間たちと進めたので大変だったが、それ以上に得たものは大きかった。

「年間200本のうち、自分が企画した研修については受講者とともに聴講するわけです。成長しないわけがないですよね。当時築いた人脈も財産となり、今に活きています」

２年後の２０１４年には多くの参加者が島内で起業。事業を機に生まれたつながりから新たな商品・サービスも誕生した。

こうして委託事業を成功させた富田さんは２０１４年、株式会社シマトワークスを設立して念願の独立を果たした。現在は事業運営で得た経験を活かし、「観光」「食」「人材育成」「新規事業開発・情報発信」の４事業を展開している。

「観光事業」では、淡路島でのツアーの企画やアテンドを担当し、国内はもとより海外からのインバウンド客の誘致にも力を入れてきた。

「食事業」では、冒頭で触れたように淡路島の豊かな食材を活かした商品開発などを展開。

「人材育成事業」では、島で築いたノウハウや経験を島外の企業や団体に提供するべく、チームづくりや人材育成のプログラムを提案している。

「たとえば全国展開のスーパーなどを運営する企業様に地域を学ぶ研修を実施したり、神戸を拠点に展開する企業様の内定者研修を島でおこなったり。人材育成プログラムのフィールドとして淡路島を活用し、研修事業を展開しています」

「新規事業開発・情報発信事業」の活動も幅広い。２０１７年には島外（神戸市と芦屋市）と島内（洲本市と淡路市）の４市合同で交流人口の増加をめざす事業「島＆都市デュアル」の編集長としてプロジェクトの立ち上げと運営にかかわった。

「明石海峡大橋の真下に位置するホテル様が淡路島とのコラボを希望された際には、淡路島の生産者とのコーディネートからイベント企画、自社メディアのディレクションや物販、さらには島をフィールドにした社員研修の企画まで、多岐にわたるディレクションを総合的に手がけました」

「これからワーケーションの時代が来る」——コロナ前に着目

さらに２０１９年から準備を続け、今力を入れているのが「ワーケーション事業*」だ。

「僕たちが拠点にしている洲本市の城下町エリアには個性豊かな飲食店や温泉、宿泊施設などが充実し、海

城下町の長屋の風情そのままにリノベーション。風が吹き抜ける設計で気持ちの良い空間

と山も徒歩圏内です。大好きなこのエリアを拠点にワーケーション事業を展開すれば、きっと楽しいことになる——そんな思いで取り組んできました」

そして2021年5月にオープンしたのが「Workation Hub紺屋町」。

かつて酒屋だった長屋をリノベーションし、1階にはコワーキングスペースやカフェ（「farm studio テーブルと燕」）、ミーティングルーム、宿泊スペースを設置。2階には事業者を対象としたセキュリティ完備のシェア型サテライトオフィスと会議スペースを設けた。

長屋らしい中庭と奥庭のある空間で、都会の喧騒を忘れて仕事に集中できる落ち着いた雰囲気が魅力だ。

「僕たちが提供するワーケーションは、観光地で働くバケーションプランにとどまりません。与えられた働き方に自らの人生を添わせるのではなく、自らの人生を自分で楽しいものにする——そうやって一人ひとりが働き方や生き方にオーナーシップをもち、日常から離れて働くことの本質的な価値を見出せるようなワーケーションライフの提供をめざしていきます」

そう語る富田さんの思いは「Workation Hub」という拠点名に表れている。

「これまで淡路島で10年以上にわたり、島ならではの暮らし方や働き方の企画を数多く実践してきました。長年培ってきたノウハウや島内のネットワークを活かし、まさに島のコンシェルジュとして、このまちの地域資源と島外の人たちをつないでいきたいですね」

＊「ワーク」（仕事）と「バケーション」（休暇）を組み合わせた造語で、観光地やリゾート地で働きながら休暇も楽しむ新しいライフスタイル、ワークスタイルのこと。

淡路島でブランド力を高め、都市部に進出する足がかりに

「Workation Hub 紺屋町」の事業者向けのプランは、すでに3社が契約済み（2021年6月現在／最大5社まで）。筆者が面白いと感じたのは、都市部の企業が自社ブランドを育てる地として淡路島に着目し、ワーケーション拠点を利用している点だ。

「淡路島の人気がこの10年で高まり、メディアで取り上げられる機会が増えています。この〝淡路島ブランド〟に着目した企業がコンセプトショップを淡路島に出店し、島内で話題を集めたのち、都市部に展開する動きがあるんです」

一般には都会で人気ブランドに育て、地方に出る戦略が王道の気がするが、その逆だ。

「都会で新規ブランドを打ち出しても埋もれかねません。そこで淡路島でローカルビジネスを立ち上げ、〝淡路島のあのブランドが都会にやってきた〟と地方発のブランディングを戦略的におこなうんです」

一方で「Workation Hub 紺屋町」は事業者だけでなく、フリーランスなどの個人利用も可能だ。島外の人にとっては、島の新たな環境で働き方、暮らし方をメンテナンスできる機会となる。島内の人にとっては、働く場所を意図的に変え、いつもとは違う顔ぶれで新たな刺激を得たり、リフレッシュしたりできる良さがある。

「さらにコロナ禍の今、本格移住の一歩手前の暮らし体験の相談も多いです。当社の拠点を利用してもらえれば、僕たちが〝ハブ〟となって自慢のお店や人、場

所をつないでいきますから、島の暮らしに自然と溶け込んでいけるはずですよ」

知らない土地にいきなり移り住むのはハードルが高い。ワーケーションを体験するなかで島とのつながりをもち、本格移住の足がかりにできるメリットもあるのだ。

仲間が加わり、さらにわくわく倍増！

ワーケーション事業の模索を始めた２０１９年、仲間を大切にする富田さんにとって新しいスタートの一年にもなった。徳重正恵さんと玉井敬雅さんがシマトワークスのメンバーに加わったのだ。

「しげちゃん（徳重さん）は出身の神戸から２０１９年、淡路島に移住してきました。『淡路はたらくカタチ研究島』の研修に参加してくれたのを機に彼女と知り合い、その後も仕事をご一緒する仲だったんです。そんななかで将来チャレンジしたいことをお互いぶつけ合ううち、『いっしょにやろう！』と意気投合しました。来てくれてありがたいですね」

一方の玉井さんは淡路島のご出身。大学進学とともに京都に出て、大阪でエンジニアとして働いたのち、数年前に地元にUターンして洲本市役所に勤めていた。

「たまちゃん（玉井さん）はもともと呑み友だちで、市役所で楽しく働いていたのが印象的だったんです。あるとき仕事の相談を聞きながら、『じゃあうちにおいでよ』とお誘いし、メンバーに加わってくれました」

以降、３人別々の場所で仕事をしてきたが、「Workation Hub 紺屋町」ができたことによるメリットも多いという。

「この拠点にいろんな人たちが集まることで、日常のなかでセッティングされていない新たな出会いがあるんです。視野がより広がり、刺激をもらっていますね」

この徳重さんの言葉を受け、玉井さんはこう続ける。

「シマトワークスの新たなアイコンになってくれている面もありますし、仕事の打ち合わせの場としても活用できる。集まれる場所があるのは純粋に嬉しいです」

さらに富田さんは、「ワーケーション拠点の立ち上げから運営まで、この数年で積み上げてきた経験、ノウハウを今後に活かせる」と先を見据える。

「Workation Hub 紺屋町」の前で。酒屋時代のレトロな看板をあえて残し、新旧融合の拠点に

「ワーケーションを検討している企業や組織からの視察の依頼が増えてきました。ワーケーションの立ち上げ支援を事業化し、淡路島と連携するなどのビジネスにも発展させたいですね」と意欲的だ。

仲間との時間を大切にする富田さん、ムードメーカーでファッションや商品開発に長けた徳重さん、プログラミングなどの技術に強い玉井さん――三者三様の個性を活かしたチームワークでわくわく感が倍増し、今後も仲間とともに楽しい企画をどんどん打ち出していく考えだ。

島内でビジネスモデルをつくり、島外でスケールさせる

さて、富田さんから話を伺い思ったのは、地産地消にとどまっていないこと。つまり企画力を活かして島の付加価値を高め、島外に発信する、あるいはその価値をもって外部から人を引き込み、結果として島に利益を落としている。

「ぼくたちが大切にしているのは、〝島内でビジネス

モデルをつくり、島外でスケールさせる〟ことなんです。島内で商品やサービスを生み出し、経験やノウハウを蓄積したのち、島外でビジネス化する。島とともに仕事をつくる、この考えにブレはありません」

だからといって、富田さんは地域貢献を声高に謳うことはしない。それどころか、「地域に貢献するために仕事をしているわけではない」とも。やはり働くうえで大切にしているのはひとつ。

「自分や周りの人たちがいかにわくわくできるか。その結果として、島にも何らかの貢献ができれば嬉しいですね」

島とともに、仲間とともに、わくわくしながら仕事を創り、その結果の利益が島にも落とされる。価値と利益の理想的な循環だし、淡路島以外の日本中の地方でも地域資源を活かすことで、実現可能なローカルビジネスの姿といえるだろう。

もちろん、シマトワークスのように会社組織でなければできないわけでもない。地方の個人単位でも、たとえ規模は小さくても価値を生み出し、利益を地元に引き込むチャレンジは可能だ。

淡路島は居心地が良すぎるからこそ、外への感度を高める意識も

淡路島に移住して約10年――。「島の暮らしはどうですか？」と富田さんに聞くと、「離れられない居心地の良さですね」と笑みを浮かべつつ答えてくれた。

「何か大きな理由があるというより、日々のプラスの積み重ねですかね。都会のスーパーでは買えない野菜をご近所さんや知り合いの皆さんからいただけたり、楽しいお店がたくさんあったり。生産者の顔が見える食材が日々食卓に並ぶ贅沢は何物にも代えがたいですね」

２０１５年に結婚し、奥様はライターとして活躍しながらカフェも運営する。２０１８年からは1年の1か月を夫婦で海外に移り、観光地に居ながら遠隔で仕事をおこなうスタイルも実践してきた。コロナ前からのそんな経験も、ワーケーションに早期に着目した理由のひとつだ。

一方、島の居心地が良すぎるがゆえの課題もある。

「それは外の目をもち続けることです。島の出身では

ない僕には、外の目で島の魅力を再発見し、価値を結びつけて付加価値を生む、そして島外に発信する役割があっていると思っています」

だからこそ島にいても、外への感度は高めておきたい。

「そのために今後も新たな分野にチャレンジし、成長し続けたいですね」

働き方、暮らし方にオーナーシップを

コロナ後の10年を見据えたとき、「働き方、暮らし方にオーナーシップが求められる」と富田さんは言う。

「会社には就業規則があるように、働き方のスタイルをある程度は会社が決めてくれました。でもコロナでテレワークが広がり、今後も一定程度は定着するでしょう。これが意味するのは、〝働き方、暮らし方の選択肢が増える〟ことです」

テレワークで多くの人が感じたのは、自宅で働く難しさ。オンとオフの区別がつかない、家族が集まるリビングでは仕事に集中しきれない、つい子どもと遊んでしまう……家族との距離が近くなるのはすばらしい反面、家庭に就業規則があるわけではない。家族と過ごしながら、どう働くのかは個人の裁量にゆだねられる。

「だからこそ『自分はどうしたいのか?』の軸がないとブレてしまいかねません」

働き方と暮らし方の自由度が高まると、必要になってくるのが主体性だ。数ある働き方、暮らし方の選択肢から自ら選び、豊かな人生を切り拓く力が求められる。

「その意味ではコロナ禍の今はチャンスです。企業にとっても、個人にとっても、働き方や暮らし方そのものを更新させるタイミングだからです」

さらに富田さんはこう続ける。

「逆に今、変われなければ、今後も変われないでしょうね。企業も個人も――」

コロナは古い価値観や常識を手放し、働き方、暮らし方をより豊かにクリエイトするための天啓なのかもしれない。富田さんたちが提案する新たな働き方、暮らし方が、コロナ後の当たり前になる日が案外、近いかもしれない。

ケース④

地方×出版

神奈川県足柄下郡真鶴町
真鶴出版
川口瞬さん・來住友美さん

真鶴の暮らしぶりを発信し、共感する人たちを迎え入れる。ローカルメディアの価値と可能性、豊かな生き方のヒントに

【プロフィール】

川口瞬
真鶴出版代表。雑誌『日常』編集長。1987年山口県生まれ。大学卒業後、IT企業に勤めながらインディペンデントマガジン『WYP』を発行。〝働く〟をテーマにインド、日本、デンマークの若者の人生観を取材した。2015年より神奈川県真鶴町に移住。「泊まれる出版社」をコンセプトに真鶴出版を立ち上げ出版を担当。地域の情報を発信する出版物を手がける。「LOCAL REPUBLIC AWARD 2019」最優秀賞。

來住友美
1987年生まれ。大学卒業後、青年海外協力隊でタイへ派遣される。その後フィリピン・バギオのゲストハウス運営をおこなう。2015年4月より真鶴町へ移住し、「泊まれる出版社」をコンセプトに真鶴出版を立ち上げ宿泊を担当。

出版業と宿泊業を夫婦で――。
泊まれる出版社という支え合い

「ローカルメディアの役割とは、思いをともにすることです」

真鶴出版の川口瞬さんに話を伺い、筆者がもっとも心に響いた言葉だ。

神奈川県の南西部に位置する足柄下郡真鶴町――川口さんはこの人口７０００人ほどの小さな港町にご夫婦で移住し、「真鶴出版」という屋号で出版業と宿泊業を営まれている。コンセプトは〝泊まれる出版社〟。出版業で真鶴の暮らしぶりやご夫婦の思いを発信し、それらの情報に興味を抱いたり、共感したりした人たちを宿泊業で迎え入れている。

出版業は川口さんが担当し、宿泊業は奥様の來住友美さんが担う。２０１５年４月におふたりで真鶴にやって来て、それぞれに思い描いてきた事業を立ち上げて模索するなか、出版で情報を発信し、宿泊で受け入れる――そんなお互いの仕事でお互いを支え合う、現在のスタイルに自然とたどり着いた。

真鶴出版が発行してきた出版物のいくつかを手に取りページをめくると、細やかな配慮が隅々にまで行き届いた構成や文章、素朴な日常を切り取った写真の魅力はもちろん、判型から紙質、デザインに至るまで、佇まいの良い出版物に仕立て上げられているのが分かる。なにより、ご夫婦が暮らす真鶴を拠点として、地域の魅力を伝えようとする思いにあふれている。

地域に対する思いを共有できる。
それがローカルメディアの役割

そんな真鶴出版の活動がきっかけとなり、現在までに21世帯、51人もの人たちが真鶴に移住しているという。

ただし、「私たちは移住者を増やすために活動しているわけではないんです」と、川口さんはやわらかいけれど意思のある語り口で思いを聞かせてくれた。そこで筆者なりに聞きたくなった。「地方発の情報発信を大切にされている川口さんは、ローカルメディアの

海に突き出た小さな半島にある真鶴町。海と山に囲まれた自然豊かな地域で、人びとの暮らしが織りなす日常風景に魅了される人は多い

役割をどのようにお考えだろう」と。その返事が冒頭のひと言。川口さんは続ける。

「私たちが大切にしているのは、地域で当たり前とされているものに光を当てること。地元の人にとっては何でもない日常の風景でも、地域の外の人にとっては『いいな』と思えることも多くあって。そうやって真鶴の情報を発信し、外の人がこのまちを認めてくれると、地元の人たちが真鶴に誇りをもてるようになるんです」

真鶴の日常を映し出したローカルメディアの存在が地域内外の人たちの懸け橋となり、「真鶴って、いいね」と同じ思いを共有できるようになる。地方で出版社を営む筆者にとって、ローカルメディアの価値や可能性を教えてくれた川口さんの言葉は貴重だ。

起業自体はそんなに
すごいことじゃない

出身の山口県で小学6年生まで過ごしたのち、ご家族で千葉県に引っ越し、東京の大学に進学した川口さん。転機のひとつは、都内のＩＴ企業に就職が決まっていた大学在学中の２００９年、渋谷の本屋兼出版社ＳＰＢＳ（SHIBUYA PUBLISHING & BOOKSELLERS）でインターンシップをした経験だった。

「ＳＰＢＳの福井盛太社長と毎日ランチをご一緒しながら、いろいろな話をさせてもらったのが今に活きています。なかでも心に残っているのは、『起業することと自体はそんなにすごいことじゃないよ』という言葉。起業は特別というイメージがありましたが、それほど構えなくてもいいと思うようになりました」

さらに大学時代にアルバイトをしていたパスタ屋の店主からも、自らリスクをとって起業すること自体を遊びととらえるような生き方を学んだ。

「組織に属さず、事業を興している人たちに触れることで、『将来、自分で仕事をつくりたい』と思うようになったんです」

２０１１年に都内のＩＴ企業に就職後、川口さんは社会人として働くかたわら、１９８７年生まれの仲間たちとリトルプレス『WORLD YOUTH PRODUCTS』（WYP／ワイプ）を創刊した。

就職先の居心地は良かった。だが川口さんは会社勤めの日々を送るうちに、自分で仕事をつくりたいという思いが消えてしまうのではないか、このまま働き続けていいのだろうか、そんな漠然とした焦りを感じるようになった。

「そのころ、同じ思いを抱いていた同世代の仲間たちと、働くことや生きることについて語り合っていました。その延長で、海外の人たちの生き方を取材し、得た学びをリトルプレスとして発行しようということになったんです」

創刊号では混沌の国インド（『WYP Vol.0 働きながらインドを探る』）に、第１号では世界幸福度ランキング１位（当時）のデンマーク（『WYP Vol.1 DENMARK 僕らは生きる場所を選べる。』）に渡り、現地取材を敢行。海外の普通の人たちの働き方や暮らし方を探り、誌面に落とし込んでいった。

「そうやってリトルプレスに力を入れていたとき、たしか『WYP』の Vol.0.5（働きながら日本を探る）を制作しているときだったと思います。将来の方向性が定まったんです。『出版で自分の仕事をつくろう』って」

「徳島県の神山町、香川県の小豆島、長野県の善光寺……いろんなまちを見ましたが、ほんとどこも良かったんです。そのなかで、地域写真家のＭＯＴＯＫＯさんの勧めで最初に訪れた真鶴にご縁を感じ、最終的に住むことに決めました」

写真家のＭＯＴＯＫＯさんからは、真鶴のポテンシャルの高さを聞かされていたという。

「他の地方にはすでに活動している人たちがいた一方、真鶴はいい意味で未開拓だったうえ、自然豊かでありながら、東京からは1時間半で来られる地の利も魅力でした。真鶴に来る側のハードルが低いという意味です」

つまり、自分たちが真鶴から東京に行く視点ではなく、人が東京から来る視点で、川口さんたちは物事を見ていたわけだ。〝泊まれる出版社〟のコンセプトの輪郭は、そのとき、すでに描けていたのかもしれない。

来る側のハードルが低い。真鶴のポテンシャルの高さ

しかし、出版社が集積する東京で起業する選択肢はなかった。さらに東日本大震災を機に東京を離れていく人たちの動きを感じながら、「これからは地方の時代になると漠然と考えていました」とも。

一方、大学時代に知り合った來住さんも、都会に対する違和感を抱えていた。そんな來住さんは大学卒業後、青年海外協力隊の日本語教師枠でタイに渡り、2年の任期を満了後、今度はフィリピンのゲストハウスで働くことに。川口さんも同じころ、出版事業の立ち上げに向け、勤めていたＩＴ企業を退職している。

「出版で起業する目的に加え、英語を学びたい思いもあったんです。ならばこのタイミングで会社を辞め、フィリピンについていこうと」

約9か月のフィリピンでの生活を終えたあと、出版業を興したい川口さんと、宿泊業を手がけたい來住さんは住むまちを探し始めた。

夫婦それぞれに思い描く事業。「泊まれる出版社」として結実

こうして2015年4月に真鶴に移住した川口さんと來住さんは、それぞれにスモールスタートで仕事をつくり出していった。

川口さんは、真鶴のまち歩き用の地図『ノスタルジックショートジャーニー in 真鶴』を手がけたのを皮切りに、それを見た真鶴町役場の依頼で移住促進冊子『小さな町で、仕事をつくる』の制作に発展。2016年には地場産業活性化の助成を受け、地元名産物の干物を紹介する『やさしいひもの』を発行した。

「この本には、真鶴に来た人が干物と交換できる『ひもの引換券』を付けたんです。当初は通販を検討しましたが、東京から人が来やすい利点を活かせばいいと閃いて」。結果として200枚以上が交換され、真鶴出版の名前が広く認知されるきっかけとなった。

一方の來住さんは、宿泊受付サイトの「Airbnb」を利用し、自宅の1室を貸し出すところから宿泊業を始めた。当初は、箱根をめざす外国人が宿泊客の9割を占めていたが、真鶴出版の活動が雑誌やウェブマガジンなどで取り上げられるようになり、おふたりの生き方や価値観に共感する日本人の宿泊客が増えていった。

こうして、それぞれに思い描く出版業、宿泊業のかたちを追い求めた先に、〝泊まれる出版社〟が自然とでき上がったのだった。

SNSを活用して情報発信。地方の暮らしを伝える大切さ

真鶴に移住して事業展開を模索していたとき、Facebookで日々の暮らしを発信してはどうかとアドバイスを受けた。そこで地元の人たちとのかかわりや自分たちの考えを投稿し始めたところ、つながりを求める人たちの目に留まり出した。

「真鶴出版に興味をもってくれるのは、生き方を見つめ直そうとしている人たちが多くて。そんな人たちが真鶴に居る私たちを見つけてくれるようになりまし

た。発信することで、引っかかってもらえるんです」

　そう語る川口さんは、「宿は受け身なんです」とも話す。

「泊まりたい宿を探すとき、宿泊予約サイトに条件を打ち込んで検索することが多いですよね。だから宿が集客をする際にはＯＴＡ（ネット上で取引をおこなう旅行会社のこと）に登録して〝待つ〟のが一般的なのですが、私たちは最初 Airbnb を使った以外にそうしたサービスを利用していません。なぜなら、出版業が宿の広報部門を担ってくれているからです。宿のチラシを書店に置いてもらっているようなものです」

　人とのつながりや自分らしい生き方を模索する人たちが出版物やＳＮＳを通して真鶴出版を知り、おふたりの考えや泊まれる出版社の価値を理解したうえで来てくれる。

「だから真鶴出版と宿泊客とのミスマッチはとても少ないし、真鶴の暮らしに触れることでこの地域を好きになってくれる方が多いんです」

　出版業と宿泊業のメリットはそれだけではない。収益の柱が2本あるだけでなく、回収金額と回収サイトも双方で支え合う。

「出版業は回収までの期間が長いですが、その代わり1回でまとまった金額が入ります。一方の宿泊業は1回の回収金額は少ないですが、その都度入ってくるので助かるんです」

　出版業の超ロングの回収サイトに悩まされているひとりとして、真鶴出版の収益モデルに思わずうなってしまった。

情報感度の高い人たちに直取引で価値を届ける

　宿泊業の流通に当たるＯＴＡを利用していないのと同じように、真鶴出版では出版業の流通に相当する取次会社も通していない。真鶴出版から書店や読者に直接、本を届けるスタイルを続けてきた。

　それでも、たとえば真鶴出版の2号店をつくる物語などを綴った『小さな泊まれる出版社』（２０１９年12月20日初版発行）は２０２１年7月に重版を達成し、後述の『ぼくたちは夏に味噌をつくる』は

2021年7月27日に発売開始後、本書執筆時点（2021年9月）ですでに完売している。

なぜ、流通に頼らずとも出版事業が成立するのか。それは真鶴出版の価値観が確立されているからだと思う。真鶴出版が打ち出すメッセージ、出版物が醸し出す雰囲気に魅せられるであろう人たちに直接、訴えかけることで成り立っているのではないか。

「真鶴出版に共感してくれるのは情報感度の高い人たちが多く、私たちと感覚が似ているんです。そうした人たちがよく足を運ぶ、いわゆる『独立系書店』は店主のセンスで選書されていることが多く、幸いにも私たちの本をよく取り扱ってもらえます。結果として、届けたい人たちに届けることができてきました。とはいえ出版流通は複雑なので、まだまだ試行錯誤中なのですが……」

そんな悩みも垣間見せる川口さんはコロナ禍の2020年5月、クリエーターのメディアプラットフォーム「note」に真鶴出版のアカウントを開設し、情報発信を始めた。noteを利用するのも同じく情報感度の高い人たちが多く、真鶴や真鶴出版の魅力を伝える媒体に育っている。

さらに筆者が興味をもったのは、真鶴出版では自社出版物の制作・発行に加え、他の企業や団体の媒体の制作も請け負っていること。なかでも面白いのは、『ぼくたちは夏に味噌をつくる』という夏味噌の小冊子。同書の著者であり、岡山県の蒜山にて禾（こくもの）という屋号で農家をしている近藤亮一さんは川口さんの大学時代からの友人で、リトルプレス『WYP』の制作メンバーのおひとり。川口さんと近藤さんが交わした対価の約束が興味深い。

「というのも、『ぼくたちは夏に味噌をつくる』は制作料金をもらっていないんです。その代わり、1年分のお米を送ってもらっています」

クリエイティブ成果物と生活の糧を物々交換する面白さ——ケース⑤で紹介している藏光農園の藏光さんご夫婦もそうであるように、地方同士で事業をおこなうからこその醍醐味、暮らしの知恵といえるかもしれない。

地域の人たちの誇りを取り戻すために

２０１５年に真鶴に移住し、出版業と宿泊業の両輪経営を続けてきた川口さんに、今回の取材でいちばん聞きたかったこと。それは「ローカルメディアの価値と可能性」。この問いを向けると、川口さんは「真鶴出版の出版業には2つの軸があって、ひとつは町内向け、そしてもうひとつは町外向けの出版物です」と説明を始めた。

「真鶴出版を立ち上げたときは、東京に向けて情報を伝える意識しかありませんでした。東京の人たちに真鶴を知ってもらい、興味をもって来てもらいたい、そう思っていたからです。もちろん今も東京への情報発信は大切にしていますが、同時に地域の人たちに向けた発信も同じくらい重要と感じるようになりました。なぜなら、地域の人たちが自分たちの住むまちを誇れることが大事だと思うようになったからです」

バブル全盛期の真鶴を知る地元の人たちは、年々店

背戸道ですれ違った人としゃべったり、お店で買い物ついでに話し込んだり。真鶴には、人と人がつながれる〝寄り合い〟の場所が残る

舗が減っていくまちの姿に自信を失い、「ここはもうだめだよ」「真鶴のどこがいいの」とあきらめの言葉を口にすることが多かった。でも移住者の川口さんが抱いた真鶴に対する印象は違った。

「真鶴には『美の基準』とよばれるまちづくり条例（1993年制定）があり、地域の人たちが港町の美しい生活風景を継承してきた歴史があります。だから今でも風光明媚な景観が守られているし、『背戸道（せとみち）』とよばれる路地が昔のままの風情で姿をとどめていたりする。なにより、まちを歩けば地域の人たちがそこここで談笑している、そんなコミュニティが残っている魅力が真鶴にはあります」

ローカルを突き詰めると、地域の外の人も楽しめる

だからこそ、地元の人に向けたメディアをつくり、シビックプライド（地域住民のまちに対する誇り）を取り戻してほしい——そんな思いで2020年5月に制作したのがハイパーローカルメディア『いわみち新聞』だ。

「新聞の名称に掲げた『岩道（いわみち）』とは、真鶴駅から真鶴出版に向かう途中の道の呼称です。ここ数年で喫茶店やピザ屋、パン屋がオープンし、出張美容室も始まるなど、新しい流れが生まれてきました。この岩道に漂う目に見えない新たな動きを紙媒体に落とし込んで可視化することで、地域の人たちにこのまちをもう一度好きになってほしいんです」

川口さんがそう力を込めるように、『いわみち新聞』は地域の人、あるいは真鶴に訪れた人に向けたメディアとなる。

「地域の人たちが真鶴を好きになれば、このまちを訪れた人に対して『いいところでしょう』と伝えられるはずです。ローカルメディアを通じてプラスの連鎖が起きることで、地域の人も外の人も真鶴のことをもっと好きになれると思うんです」

真鶴の人に向けたメディアであっても、川口さんのつぎの言葉にローカルメディアの真髄を見た気がした。

「こうしてローカルを突き詰めていくと、地域の人た

ちだけではなく、外の人も楽しめるメディアになると思っています」

地域資源を掘り起こし、当たり前に光を当てる

では〝ローカルを突き詰める〟とは、何を意味しているのだろう。川口さんの答えは、「地域で当たり前とされるものに光を当てる」こと――。

「たとえば真鶴に残る背戸道を地元の人たちは何とも思っていませんでしたが、私たちは歩くことを純粋に楽しめたんです。それが宿泊客を案内する『町歩きツアー』に発展しました」

さらに川口さんは、真鶴に移住してきた画家の山田将志さんと地域の人たちに向けた『真鶴カレンダー』（当初）をつくっている。真鶴で毎年7月27・28日におこなわれる貴船まつりの暦感覚を取り込んだ8月始まりのカレンダーで、２０１７年から制作を続けてきた。コロナ禍の２０２０年、このカレンダーを地域外の人たちにも楽しんでもらえるよう『港町カレンダー』に改編した際、意識したのが〝真鶴の日常〟を描くことだった。

「港の祭りで催される伊勢エビ釣りのひとコマや、坂道でふと見下ろした真鶴のまちなみ……おそらく地元の人にとっては何でもない風景だと思います。でも私たちはそこに息づく暮らしの匂いを愛おしいとすら思うのです。そんな地域の当たり前に光を当てて外の人に伝えることで、その地域に行ってみたいと思ってもらう。それがひいては移住につながることもあるだろうし、地域外の人がその当たり前の光を認めてくれることで、結果的に地域も活気づくのではと思うんです」

地域が独自のカルチャーを発信し、個人や地域同士で結びつく時代に

完成した成果物にとどまらず、「ローカルで活動すること自体に価値がある」とも川口さんは言う。

「真鶴での活動がそのまま当社のPRになりますし、私たちの生き方を伝えることにもつながります。私た

袖すり合うほどの背戸道がまち中に張り巡らされているのも真鶴の魅力のひとつ。歩いているとすぐ知り合いに出会う

ちのような活動が他の地方にも広がってほしい、そんな思いもありますね」

東京から地方に向けて、情報がシャンパンタワーのように行き渡るマスメディアの時代ではなくなった。今やSNSを介して共通の興味・関心をもつ個人同士がつながるのが当たり前になった。

「そんな時代には東京から画一的な情報を発信しても、届けたい人にうまく伝わりません。これからは地域独自の情報を丁寧に発信し、それに共感する個人や地域が直接つながる時代になると思っています」

そう思いを語る川口さんは、地域の日常を見つめ直すことを意図した雑誌『日常』(創刊号：2021年5月8日初版発行）の制作に編集長として参加した。流通を担うことを意味する発売元は真鶴出版で、媒体を制作して発行する文字どおりの発行元は一般社団法人日本まちやど協会となっている。

「日本まちやど協会に参加する22の宿は規模も形態も異なりますが、地域に根ざし、そのまちの日常に能動的に働きかけている点で共通します。同じ志をもった全国の宿が東京を経由せずにつながり、活動をともにすることで影響力を手にすることも可能です」

事実、協会として活動することで雑誌『日常』の創刊が実現したほか、国に対する提案で補助金を得ることにもつながったという。

「ただし、繰り返すように私たちは地域の活性化や移住促進のために活動しているわけではないんです。でも結果として私たちがやっているのと同じような小商いが真鶴や他の地域に生まれてくれたら嬉しいですね。個人の力を拡張し、地方での小商いを可能にしてくれるのがテクノロジーの力です」

選択肢はひとつじゃない。いろんな生き方がある

インタビューの最後、「ウィズコロナ、アフターコロナ時代の生き方はどうなっていくと思うか?」と質問すると、「仕事と暮らしがごっちゃになっていくと思います」と川口さんは答えてくれた。

「大学を卒業して都会に住み、企業に就職して勤め上げる――そんな旧来のレール以外の選択肢を見つけにくいのがこれまでの時代でした。でも私たちの生き方を見てもらって、地方移住や小商いなど、いろんな生き方の選択肢があると多くの人たちに知ってほしいですね」

コロナ禍となり、逃げるように真鶴にやってくる人たちが増えたという。

「3・11以降、多くの人が生き方を見直し、住む場所を実際に変えてきました。その流れと同じことがアフターコロナの時代に起きるのではないでしょうか。地方移住がこれからもっと増えてくるでしょうし、首都圏から近い真鶴はその受け皿としての需要が高まるはずです。今後は、より真鶴に合う人に来てもらいたい、そんなフェーズを迎えているように思います」

都市部から地方に移住し、地方の豊かな暮らしぶりを発信する。そんな生き方に共感した人たちが真鶴にやって来て、地域とのかかわりでみんながハッピーになる――川口さんご夫婦の生き方や活動はローカルメディアの価値と可能性を示唆するだけにとどまらず、これからの時代を豊かに生きるための知恵を私たちに授けてくれているのかもしれない。

ケース⑤

地方×農業

和歌山県日高郡日高川町
藏光農園
藏光俊輔さん・藏光綾子さん

ITを先駆的に活用し、農産物の付加価値を高めて都市部に提供。田舎を拠点とした農業で都会とつながり直す、新しい暮らし方

【プロフィール】

藏光俊輔
1979年和歌山県日高川町生まれ。京都大学農学部を卒業し、高級着物販売に携わる。2011年より実家にUターンし、就農。「田舎8割、都会2割」を合言葉に、都会と積極的につながりをつくっている。2020年に父親より藏光農園を承継。

藏光綾子
東京生まれ、大阪育ち。京都大学経済学部を卒業後、大手自動車メーカーにて企画などに携わる。結婚を機に夫と共に和歌山県に移住し、就農。初体験の田舎暮らしと農作業の様子をブログにて10年間、毎日配信している。

都市部からUターンし実家の農園を承継

和歌山県の最高峰・護摩壇山（標高1372メートル）から山々の間をぬって西流し、御坊市で紀伊水道にそそがれる日高川。和歌山県日高郡日高川町はその名のとおり、まちの中央部を日高川が流れる地域で、総面積の約9割を森林が占める。豊かな大自然、そして母なる川の恵みを受けて昔から林業や農業が盛んな土地柄であり、年間平均気温約16度と温暖な気候も相まって果樹や野菜などの生産がおこなわれてきた。

この日高川町の松瀬地区で、和歌山県の代表作物である温州みかんや南高梅、晩柑類（ハッサク、甘夏、不知火など）を栽培してきたのが蔵光農園だ。現在は、先代の蔵光敏章さんのご子息、蔵光俊輔さんと綾子さんご夫婦がUターン移住し、農園を引き継いで運営している。

個人経営の農家として先駆的にITを活用

都市部から地方に持ち帰る仕事として本書で推奨しているのは情報通信業なのに、なぜ第1次産業の農業に従事する蔵光さんご夫婦に取材を申し込んだのか。それは、地方を拠点に農業を通じて都市部とつながり直す、新しい暮らしのかたちを実践されているから。

2011年にUターン（綾子さんはIターン）移住後、個人経営の農家としては先駆的にITを活用し、販路開拓に力を入れてきた蔵光さんご夫婦。「知っていただくための情報発信」に重きを置き、SNSも意欲的に活用してきた。綾子さんは、就農した2011年1月にブログ「農家の嫁修行日記@和歌山」を立ち上げ、以来10年以上、農家としての日々を記録。一方の俊輔さんはFacebookで農業の様子を発信してきたほか、蔵光農園の農産物を使って創作された都市部のレストランのメニュー写真をInstagramで紹介している。

SNSを活用し、農家の暮らしや農作業・農作物の状況を包み隠さずに発信。Instagramには取引のあるレストランの料理写真がズラリ

生産する農産物の価値を高めて顧客に届けることにも重きを置き、顧客への新たな価値提供の一環で東京など都市部のミシュラン掲載レストランとも積極的に取引している。

「田舎に来ると都会との縁が切れてしまうのではと懸念していましたが、田舎で農業をしながら都会とつながり直している感じですね」とおふたり。

さらに、筆者自身もUターン移住者として共感したのが、俊輔さんの地元に対する思いだ。農業人口を増やして地域を維持するべく、地元日高川町での就農を条件に研修制度を立ち上げたり、地元の子どもたちに無料で数学を教える寺子屋教室を開いたり。進学と就職でいったん外に出て成長したのち、Uターンで戻ってきて地元に恩返しをする。そんな俊輔さんと、都会しか知らないなかで田舎に来て、そばで支える綾子さんの姿に心打たれた。

地方を拠点に都市部とつながりながら付加価値を生み、得た利益を地元に還していく——地方で生み出す付加価値の種類が第1次産業の農産物なのか、第2次産業の完成品や部品なのか、第3次産業の情報やサービスなのかの違いだけで、農業も製造業も情報通信業もビジネスの本質は変わらないのではないか、そんなことを思って藏光さんご夫婦に取材を依頼し、お受けいただいたのだった。

農家の父に連れられて、川で泳いだ夏休みの思い出

日高川町で生まれ育った俊輔さんには夏休みの思い出がある。

「小学生のころ、農業をしていた父が私の夏休みに毎日、家から徒歩5分の日高川に泳ぎに連れ出してくれたんです。『毎日子どもたちにつき合って川に泳ぎに行けるなんて、農業ってなんていい仕事だろう』と子ども心にポジティブな感覚を抱きましたね。本当のところは、父親は涼しい早朝から働いて、昼休憩に川に連れて行ってくれていただけなのですが……子どもなので知りませんでした」

さらに泳いだあとは友だちと山でカブトムシをつかまえたり、秋になれば山で栗やアケビ、椎の実を採ったり。地元和歌山の自然が大好きな子どもだった。高校卒業後は京都大学農学部環境経済学科に入学した俊輔さん。

「さらに美しい自然環境に身を置きたくて専攻した学科でしたが、次第にめざす方向性にずれが生じてしまいました。では、美しい自然に触れられるつぎなる職業の選択肢は何だろうと考えたとき、思い浮かんだのが実家に戻って農業に従事することだったんです。将来は田舎に帰ると決めたのは、大学2回生のころです」

「将来、インターネットで農産物を売る時代が来る」

そんな大学時代、俊輔さんは農業の未来に希望を抱く経験をした。当時サービスが始まったヤフオク!(Yahoo!JAPANが提供するインターネットオークションサイト。1999年サービス開始)を利用し、服の個人売買を経験したのだ。

「パソコンに疎いのですが、そんな私でもネットを介して服の売り買いが成立する。なかでも衝撃だったの

は、買う側にとどまらず、売る側にも回れたことです。将来これが当たり前になる時代がきっと来る、つまり本当に美味しい農産物を、その価値を認めてくれる人たちにネットで売れる時代がやって来ると思いました」

俊輔さんがそう感じたのには背景がある。俊輔さんの父で先代の敏章さんは一部の農薬で手がかぶれる体質もあり、農薬節減で農産物を育ててきた。消費者にとっては喜ばしいことだが、生産者にとっては農産物を流通させるのが難しくなる。農薬を減らすと、消費者の抱く不安（農薬過多で生産されることへの不安）を軽減できる一方で見た目が悪くなり、共同出荷の選果基準で低ランクに位置付けられてしまうからだ。結果、栽培に手間暇がかかるのとは裏腹に、卸価格がぐんと低くなってしまう。

「実家のみかんは美味しいのに、見た目の問題で評価が低い。そんな状況に父だけでなく、私も悔しさを感じていました。だからこそ実家に戻って農業を継ぎ、本来の価値と値段を理解してくれる人にネットの力を借りて販売しようと思ったんです」

大学卒業後は、将来の就農に備えて社会人経験を積むべく、大手通信販売会社に就職。着物を扱う呉服部門に自ら希望して所属し、東京で営業経験を、京都で本社部門をそれぞれ経験した。

「呉服部門を選んだ理由は、着物という高額商品を売ることができれば、他のどんな商品でも扱えるだろうと思ったからです。結果、高付加価値とは何かということが理解でき、東京には価値を認めれば出費を惜しまない方々がいらっしゃる、そんな学びと経験、人脈を得ることができました」

都会生まれ・都会育ち、大手勤務から「農家の嫁」に

一方の綾子さんは東京生まれ、大阪育ちの生粋の都会っ子として育った。

「自宅の裏山に池があり、カメをつかまえたりして遊んでいたので、それなりに自分も田舎の人間だと思っていたのですが」と笑みを浮かべつつ、綾子さんはこう続ける。

「大学時代に相方（俊輔さんのこと）とバイクで日本中をツーリングしたとき、日本って9割ほどは田舎だと気づいたんです。それを友だちに話したら、大爆笑されました」。つまり綾子さんは自称・田舎人であり、本当の田舎を知らずに育ったというわけだ。

そんな綾子さんも京都大学のご出身で、経済学部経営学科を専攻。海外研修生の交換事業をおこなうサークルに所属したのが縁で俊輔さんと出会った。大学卒業後は大手自動車メーカーに就職し、開発部門、経営戦略やマーケティングを手がける部署などに所属。「メーカーも農家も、商品をお客様に届けるという意味で同じ」と綾子さんは言うように、大学時代の経済や経営の学び、そして社会人時代に得たものづくりや戦略、マーケティングのノウハウが就農後のネット販売などに活かされることになった。

ブログをきっかけに物々交換に発展

30歳で結婚した俊輔さんと綾子さんは、2010年末に日高川町にUターン移住し、2011年1月から藏光農園で働くことに。綾子さんは東京青山のオフィスで世界市場を相手に仕事をしていた状況から一転、日高川町の松瀬という小さな地区に視野がギューッと絞り込まれ、農家としての奮闘の日々が始まった。

「当時の心境をよく聞かれるのですが……田舎出身の人が身近におらず、何も分からない状況で移り住んだのが逆によかったのかもしれません。相方からもいずれ田舎に帰ると聞かされていたこともあり、抵抗はとくになかったです」

そう振り返る綾子さんは就農した2011年1月にブログ「農家の嫁 修行日記@和歌山」を立ち上げ、365日発信することに決めて更新を始めた。のこぎりの使い方を誤って指を怪我したり、剪定の際に梅の木にうまく登れず足がガクガク震え、俊輔さんから「木登りしたことないんちゃう?」と突っ込まれたり。確かに大変だろうなあと思う反面、綾子さんのブログには農業のしんどさより、どこか珍道中的な愉快さがある。

「とにかく見るものすべてが新鮮で、驚きに満ちてい

都会から和歌山に移住し、就農して10年になる綾子さん。ぎこちなかった修行時代を経て、今では南高梅の選別も慣れた手つき

ましたから。そんな農家としての日々を発信し始めると、同じような農家のパートナーさんから連絡をいただいて。以降、各地の人たちとつながって市場調査に出かけたり、農産物を物々交換したりする間柄に発展していきました」

この時代に物々交換——意外に思っていると、現在は俊輔さんのつながりも含めて年間50品目以上の物々交換をしているというからさらに驚いた。具体例をあげると、リンゴやブルーベリー、ミニトマトなどの果物や野菜からソーセージやハム、パン、バームクーヘン、ワイン、ビール、昆布、米、酒、調味料までじつに多種多様。

「農産物がいちばん美味しくなる収穫の時期を知っているのは私たち農家自身。最高のタイミングで譲り合う贅沢を味わっています。『農家っていいでしょ』とアピールすることで、農家ならではの良さに気づいていただければとの思いも秘めています」

俊輔さんのこの言葉から、農家の魅力を知ってほしい、そんな意思を感じた。

マーケティングで見出した藏光農園が生み出す価値

さて、2011年1月に就農後、おふたりが取り組んだのがネットを活用した新たな販路開拓だ。まずは無料販売サイトを利用して自社サイトをオープン。そしてネット販売が軌道に乗った数年後に有料システム（レンタルショッピングカート）に移行し、全面リニューアルした。

「最初にネットで取り扱ったのはカーネーションで、おもに買ってくださったのは私たちの友人でした。みんな都会の人たちということもあり、『田舎暮らしを始めたみたい』と面白がって買ってくれたのです」と綾子さん。

移住して農業を手伝い始めた矢先の2011年9月には、台風12号による日高川大洪水に見舞われた。松瀬地区一帯が甚大な被害に遭い、藏光農園でもハウスや畑が浸水。川沿いにあったみかん畑では、数本を残してほぼすべての木が根こそぎ流されてしまった。

「もう終わりや」。先代の敏章さんはつぶやき、俊輔さんと綾子さんも呆然となった。それでも、復旧に立ち上がった地域の人たちの姿に奮起し、泥をかぶったみかんを救出して丁寧にふき取り、事情を説明してネットに出品。すると「多くの方が購入してくださいました」と、おふたりは当時を思い起こしながら感謝する。

2011年といえば、ITや SNSが急速に発展を始めたころだが、個人経営の農家がネット販売に取り組むケースは稀だった。そのなかで藏光さんご夫婦が先駆的にネットを活用し、軌道に乗せることができた理由は何なのか。

「まず言えるのは、みかんがネット販売に適していた点です。送料が1000円とすると、野菜など単価の安い農産物を単品で売るのは難しいですよね。その点、みかんは箱買い文化がある果物。ネットで扱う優位性がありました」とおふたり。

そのうえで、綾子さんの知恵も活かしてマーケティングに力を入れた。さまざまなみかんをネットで買って試食し、藏光農園のみかんの価値がどこにあるのかを見極めたのだ。

「味に加えて値段、パッケージ、梱包物など総合的にチェックし、その商品の付加価値を高める要素が何なのかを分析しました。その結果、藏光農園が提供する農産物のいちばんの価値は〝鮮度〟にあると結論付けました」

そう俊輔さんが言うように、藏光農園では最高に美味しいタイミングで農産物を収穫し、顧客に届ける「適期収穫」にこだわっている。

「通常の収穫方法は〝総取り〟といって、完熟していないものも一度に収穫してしまいます。一方の当園では樹上で完熟するギリギリまで待ち、お客様に発送する直前に収穫しています」

いちばん美味しい品種は自分たちが決める

さらに農薬節減にも取り組み、農薬の使用は慣行比で梅は約5割減、みかんは8~9割減に。独自の栽培方法を知りたくなったので聞いてみると、俊輔さんはしばらく考えたのち、「あえて言うなら『ない』ですかね……」と意味深長な答えが返ってきた。

「農産物の生育はさまざまな条件によって変化しますから、この方法がベストなんて一概には言えないんですよ。とくに果樹は永年作物なので、ひとつの原因だけをあげるのは不可能に近いです。そのうえでひとつ具体的なことをいうと、除草剤は使わず、草刈りを大切にしている点ですかね。草を刈ると根が枯れて土中に細かな隙間ができ、水はけがよくなります。さらに刈ったあとの草が堆肥となって土が肥えて、農産物が美味しくなるんです」

もちろん〝草刈り〟と言葉にするのは簡単だけれど、「少し放っとくと畑が山に返っていく」と綾子さんが比喩するほど管理が大変な作業。そこまで手間暇かけて藏光農園が手がける農産物の中でも代表格が「ゆらわせみかん」だ。これは和歌山県を代表する温州みかんの一種で、いちばん早く出荷が始まるみかん（＝極早生（ごくわせ）みかん）にあたる。「私たちはすべてのみかんの中でこのゆらわせみかんが酸味と甘みのバランスがいちばんいいと考えています。他の農家では数種類

「美味しいゆらわせみかんをお客様にお届けしたい」——熱い想いで栽培に取り組む俊輔さん。農作業はまさに真剣勝負

のみかんを栽培することが多いですが、私たちは自分たちがいちばん美味しいと思う品種を自分たちで選んで栽培し、お客様に提案します。これも藏光農園のこだわりのひとつですね」と俊輔さんは強調する。

文字で価値を伝え、納得を得る

ＩＴ活用についてもう一点、販売を後押ししてくれるネットならではの利点があるという。

「それは文字で伝えられる点です。たとえば果樹の場合、苗付けから収穫までに4～5年はかかります。自社サイトやＳＮＳを通じて農業の奮闘を継続的に発信することで、当園の農産物の価値を理解したうえで購入していただけるんです」と俊輔さん。

売りにくい商品の代表格である着物を顧客に提案してきた経験を農業に転用し、高付加価値商品の理解を得て購入してもらう。そのための手段としてネットを活用しているのだ。

情報発信ではそのほか、前述の綾子さんのブログに加え、俊輔さんもＳＮＳに力を入れてきた。たとえば

Ｆａｃｅｂｏｏｋでは農業の日々の様子を〝実況中継〟するように、包み隠さずに発信してきた。

「ＳＮＳでの情報発信は農作業や農産物の状況を伝える目的のほか、農家の地位を高めたい思いもあります。都会のサラリーマンより田舎の農家のほうが私は楽しいですから。農業の面白さを伝えていきたいですね」

顧客に驚きを届けるため、付加価値の追求に余念がない

一流レストランの料理の写真がズラリと並ぶ、藏光農園のＩｎｓｔａｇｒａｍも魅力的だ。聞けば、藏光農園の農産物を使ったメニューばかりだという。しかも東京や大阪、京都のミシュランガイド掲載レストランも少なくないとか。なぜ藏光農園の農産物が、一流レストランで多く使われているのだろう。

「農家さんのつながりで、東京のフランス料理店にみかんをお送りしたことがきっかけなんです。舌の肥えたシェフに美味しさを認めていただき、料理に使っていただくことで、当園の農産物の価値を高めることにつながると思い、レストランに提案するようになりました」

俊輔さんの話に〝価値〟という言葉が出たように、自園の農産物の付加価値を高め、顧客に提供することを大切にしてきた。

「シェフの皆さんには、当園の農産物を新しいかたちに生まれ変わらせてほしいとお願いしています。日頃お世話になっているお客様に、生果でお召し上がりいただくことにプラスして、レストランで変身した農産物も楽しんでもらいたいからです」

現在、取引のある都市部のレストランは40軒ほど。俊輔さんが自ら営業してつながりを得たレストランがほとんどだ。でき上がったメニューの写真を送ってもらい、Ｉｎｓｔａｇｒａｍにアップしている。

綾子さんが「相方は年に一度は新しいことをしたいと思っている」と言うように、俊輔さんは取引レストランの開拓のほか、東京のレストランと組んで一流シェフの料理を楽しめるイベントを開催したり、地元和歌山のレストランとコラボして藏光農園で野外レス

トランを開いたりと、新たな価値を顧客に提供するための創意工夫に余念がない。

さらに2018年には、俊輔さんが旗振り役となり、藏光農園のゆらわせみかんが機能性表示食品（届出番号D211）に認定された。藏光農園のゆらわせみかんを1日当たり3個食べると「骨の健康維持に役立つ」βクリプトキサンチンの恩恵を受けられるというもの。生鮮食品で機能性表示食品が認定されるのは個人経営の農家としては全国初の快挙だ。

「常にお客様を飽きさせずに、さらなる食の楽しみを提供したい。そのために今後も新しい取り組みを続けていきます」。俊輔さんはますます意欲的だ。

都会とつながり直す、という新しさ

東京に出かけたり、都市部のマルシェに出店したりした際、俊輔さんは取引のあるレストランを訪ねるようにしている。

「Uターンした当初は平日は和歌山で農業をして、休日は都会で過ごすような、田舎をメインに都会も楽しむ暮らしを思い浮かべていました。今は、出張時に取引のあるレストランに食べに行ったり、都市部のレストランが当園の農産物を宣伝してくれたり──田舎での農業を通じて都会とつながり直している、そんな表現がしっくりきますね」

俊輔さんの言葉を受けて、綾子さんも続ける。

「当園の農産物を購入してもらったのがご縁で、お客様と手紙やメールのやり取りをさせてもらったりしています。田舎に居てもいろんな人と知り合えるし、つながり合える、そんな楽しさがありますね」

地元にUターンした筆者も近い将来、加東市に拠点を置きながら、都市部にも拠点を設ける構想を描いている。それだけにおふたりの暮らし方に共感できたし、田舎を拠点に都市部とつながる新しい働き方、暮らし方がもっと広がってほしいと願っている。

寺子屋で視野を広げ、成長して戻ってきてほしい

もうひとつ深く共感したのが、俊輔さんの地元に対する思い。農業人口の減少に伴い、地域の耕作が困難になりつつある農地を耕作してほしいと依頼を受けるが、家族経営の藏光農園では限界がある。

「だからといって私たちが人を雇い、規模を拡大するだけでは農地を守ることはできても、地域を維持することはできません。そこで、日高川町で農家として独立してもらうことを前提に研修制度を立ち上げました。仲間となる農家を増やすことで、地域全体の力を高めたいんです」

新規就農者の課題のひとつにあげられるのが、農地を借りること。俊輔さんが立ち上げた研修制度を利用すれば、研修生は藏光農園の畑で農業を学び、地域の畑を借りる算段をつけたうえで独立できる利点がある。

「現在、兵庫に住む研修生が勉強中です。まもなく日高川町に移住してきて、農家としてひとり立ちをしてくれる予定です」

さらにもうひとつ、心に響いたのが寺子屋教室だ。俊輔さんはUターン後、松瀬地区の子どもたちに無償で数学を教えてきた。「この寺子屋で学んだ子どもたちには将来、『特別な田舎に住んでいたんだ』と思い出してほしいですね」と話す俊輔さん。

「この寺子屋で視野を広げ、松瀬地区から外に羽ばたいてほしい。そして広い世界でもまれて成長し、また戻ってきてくれたら。そんな願いを込めて子どもたちと接しています」

「つくるものは、見た目より味」

取材の最後に聞いてみたかったことがある。それは、先代の敏章さんから何を引き継いだのか。俊輔さんは少し考え、つぎのように話し始めた。

「『つくるものは、見た目より味』――先代から継いだのは、このひと言に尽きますね。父は共同出荷の基準で苦労し、低ランクに甘んじてきました。『ワシの

みかん、美味しいはずなんやけどなあ』と、常々つぶやいていた先代の悔しい気持ちを知っているからこそ、私の代で農産物の流通における価値の基準を変えて見返したいんです」

２０２０年５月、敏章さんが大事に育ててきたカーネーションのハウスを閉じ、変わりに俊輔さんが新たに果樹を植えた。実質的な世代交代だ。

「もともと私たちが就農することに対して両親は大反対だったんです。ですがネット販売を開始し、『美味しい』などのお客様の声が届くようになると喜んでくれるようになって。今では両親ともに、Ｕターンして藏光農園を継いだことを認めてくれていると思います」とおふたりは話す。

ＩＴを使った販路開拓の結果、みかんの販売価格は先代の時代の５倍になった。それだけの潜在価値を秘めた農産物を敏章さんが残し、引き継いだ藏光さんご夫婦が本来の価値に高めて販売できるようにしたのだ。その結果、顧客に喜びを与え、藏光農園に成果がもたらされる好循環が生まれている。

和歌山の田舎から都市部に付加価値を提供し、得た利益と喜びを地元、そして家族に還していく——藏光さんご夫婦は、今後も松瀬地区から全国に向けて、とびきり美味しい農産物を届け続ける。

ケース⑥

地方×IT

兵庫県三木市（北播磨）

N's Creates 株式会社
代表取締役
中田和行さん

テレワークの一歩先行く「リモート×オフィス」の二刀流で事業拡大。地方を拠点にスマホのアプリ開発、利益を地元に還元するIT企業

【プロフィール】

デザインに強みをもつアプリ・システム開発会社 N's Creates 株式会社のデザイナー社長。新卒で入社した日立系プラント会社のメーカー営業から、27歳でIT・Web業界に転身。大阪・東京で経験を積んだのち、地元の兵庫県三木市にUターン移住し N's Creates 株式会社を創業。

〝オフィスレス〟で創業し、フルリモートで事業を軌道に

兵庫県三木市に本社を置くＩＴ企業のN's Creates株式会社は創業時からオフィスを持たず、リモートワークだけでメンバーと事業を展開してきた。

創業は２０１５年９月。創業者の中田和行さんが東京から地元の三木市にUターンし、実家を拠点に立ち上げた。おもな事業内容は、スマートフォンのアプリ開発やデザインを強みとしたＷｅｂシステムの開発。創業２年後の２０１７年には法人成りを果たし、今は社員とアルバイトスタッフ合わせて10人が同社で働く。

ちなみに現在はフルリモートからは脱却し、ＪＲ三ノ宮駅に近い神戸市中央区にオフィスを構える。といっても各メンバーの拠点は兵庫、大阪、東京、福岡とバラバラ。だから神戸市のオフィスに毎日出社するわけではない。週１度、通えるメンバーが神戸に集まり、顔をつき合わせてミーティングをおこなう。その後は繁華街やオフィスで飲み会を開き、親睦を深める

普段はそれぞれの拠点で働くメンバーたち。週に１度、三ノ宮の事務所に集まって顔を合わせる

といった距離感の組織づくりを大切にしてきた。

　コロナ禍にあってオフィスを規模縮小したり、都心から都市郊外や地方に移転したりする動きが広がるなか、N's Creates はすでにウィズコロナ時代の新しい働き方を先取りしていたといえる。

「2020年にリモートワークが一気に普及しましたが、ほんの5年前の創業時には『オフィスを持たずに本当に組織が成り立つの?』と不思議がられましたね」

　中田さんが当時を述懐するように、2010年からの十数年間でデジタル環境や働き方に対する意識は大きく変わった。

　その矢先に襲ってきた新型コロナウイルス。「知」にすぐアクセスできる都市部ならではの密集生活はリスクとなり、都市部に住まう人たちが地方に目を向けることになった。

　しかし2010年からの動きを敏感にとらえていた都市部の一部の人たちは、すでにコロナの到来を待たずして地方への移住を検討し始めていた。一方、地方の人たちは最先端の技術や知識を求めて都市部に吸い寄せられていった。つまり地方移住への意識の高まりと都市部一極集中が同時に進んだ10年といえる。

　そんな2010年代の半ばに東京から兵庫県三木市にUターンを果たした中田さんは、オフィスレスで創業したのち、現在はあえて神戸の中心地にオフィスを構え、目的をもった拠点の使い方をしている。

「とくに創業時は拠点のない状態でメンバーとコミュニケーションをとる必要があったので、リモートワークのノウハウは相当積み重ねてきました。現在はその経験を活かし、フルリモートの一歩先行く組織づくりを模索している感じですね」

　リモートワークを確立する時期はすでに終えている——このひと言が、中田さんの働き方と暮らし方の先進性を物語る。

　同時に、コロナの緊急避難策としてのリモートワーク体制ではなく、理想の働き方を追求した結果の現在地点であるのも付記しておきたい。

「将来は独立したい」
――20歳のころから目標を描く

N's Createsの本社がある兵庫県三木市は、スタブロブックスが拠点を置く兵庫県加東市と同じ北播磨地域にある。三木市は加東市よりも阪神間に近く、同社の本社（三木市志染町）は神戸市西区との境に位置する。

「だから車を使えば神戸のオフィスまで30分ほどの近さなんです。三木市は自然が豊かで子育ての環境も良く、都市部にも出やすいなど、住みやすい地域ですよ」

そう話す中田さんは、20歳までは神戸で過ごした。その後、実家が三木市に引っ越したことからUターン先も三木市に。今では前述のように三木市に愛着を感じている。

そんな中田さんは中学卒業後、神戸市立工業高等専門学校に進学。本科5年の最終年度にあたる20歳のころにはすでに独立を志し、以降、キャリアを計画的に積み重ねてきたという。

「高専（本科5年間）卒業後に専攻科（2年間）を修了したのち、大手重電メーカーに就職してプラントの営業をやっていました。その会社で大手ならではの組織運営を学ぶなか、将来につながる道を模索しているときに知ったのがＷｅｂの仕事だったんです」

中田さんは、自らスキルを養いながら独立をめざすために大阪の広告制作会社に転職。Ｗｅｂデザイナー兼プログラマーとして新たなキャリアをスタートさせた。

「その会社では広告デザインやＷｅｂディレクション、Ｗｅｂ開発などの技術をひと通り身につけました。新しい業界に飛び込み、Ｗｅｂデザインの魅力にとりつかれたのが、ビジネス人生のすべての始まりといっても過言ではありません」

こうしてＷｅｂ業界に転身して2年後の２００９年、運命を左右する製品と出合う。

「それがｉＰｈｏｎｅです。デザイン性や機能性のすばらしさに感動し、今後、携帯電話は間違いなくスマートフォンに変わると確信しました」

当時の心境を話す中田さんはその後、新たな環境に身を置く決断をしている。

「iPhoneの発売以降、スマートフォンサイトの制作も手がけるようになり、出合ったのがスマホアプリの仕事です。〝目的を果たすためのツール〟というアプリケーションの要素に惹かれ、もっと学びたいと思いました」

そこで転職先に選んだのがスマホアプリの開発会社。拠点は大阪だったが、働き始めてほどなく、東京のデザインチームの立ち上げメンバーとして上京することに。以降、デザイナー兼マネージャーとして受託開発プロジェクトのデザイナーを統括する仕事を任されることになった。

東京では充実の日々を過ごした。担当するのは、国内外を代表する大手IT企業の案件ばかり。「東京で働きたい希望はそもそもなかった」と言うが、上京したからこそ得られた経験は少なくないはずだ。

そして東京に出て２年半ほど経ったとき、中田さんはネクストキャリアをイメージし始める。

「大手との仕事はもちろんやりがいがありました。ですが将来の独立を見据えたとき、自らアイデアをかたちにする経験を積みたいと思ったんです。そこで自社サービスを展開する事業会社に転職しました。より自由な企画を自ら生み出し実現したい、そんな思いからです」

転職先は、シェアナンバーワンの名刺管理サービスを手がける会社。クライアントありきの受託案件とは異なり、エンドユーザーのニーズをキャッチし、かたちにしなければならない。つまり市場を見てアイデアを創出し、ニーズに応えるスキルが求められる。

請け負いの仕事が中心だった中田さんは新たなビジネスのフィールドでも着実な学びを得て、「そろそろ独立を……」と考え始めたとき、人生の節目を迎えることになる。

第１子の誕生で〝Uターン独立〟を決意

東京に出て３年半後の２０１５年３月——。

「第１子となる長女が生まれたんです。妻は出産に備えて私の実家に里帰りし、私も産後１週間の休みをとって三木市の実家に帰りました。上司から自宅勤務制度の利用を勧められ、使ってみようと思って」

こうして中田さんは1週間、三木市の実家を拠点にリモートで働くことに。

「すると気づいたんです。『仕事って、別にどこにいてもできるやん』と(笑)。この経験が地元へのUターンを検討するきっかけになりましたね」

中田さんご夫婦が住んでいたのは、勤務先のオフィスがある東京都港区青山まで通勤時間20分ほどの小さな賃貸物件だったが、それでも家賃は月10万円以上。自然豊かな三木市に帰省し、わずか1週間とはいえ、のびのびとした環境で仕事に取り組んだことで、東京での高コスト生活にリスクを感じるようになっていく。

「この先子どもが成長すると、より大きな住まいが必要になるでしょう。コストはさらに高くなり、いつしか生活のために働くようになるかもしれない。次第に、この先も東京にいるべきかどうか、考えるようになったんです」

不安は生活面だけではなかった。独立を見据えると、物価の高い東京で事務所を借りると固定費がかさみ、事業の負担になりえる。

「ならばいっそのこと、子どもが生まれたのを契機に三木市にUターンし、田舎で独立するのはどうか。このタイミングを逃せば守るものはさらに増える。チャンスは今しかない――そう心が傾いていきました」

とはいえ一存で決めるわけにはいかない。

「だから妻に正直に打ち明けました。『うまくいくかは分からないけど、実家に帰って独立したい』と。するとひと言、『いいよ』と返してくれました」

大阪出身の奥さんとは、まだ上京する前に出会っている。

「妻も当時、大阪の会社に勤めていたんです。将来は独立したいと話していたので、私の仕事に対する姿勢を理解してくれていました。だから東京への転勤が決まったとき、仕事を辞めてついてきてくれたんです。感謝しています」

実家を拠点に創業。リモートを核に事業拡大

こうして中田さんは2015年8月に兵庫県三木市にUターンし、実家を拠点に念願の独立を果たす。

Web上で案件を紹介するサービスを使って営業を始めると、ほどなくUIデザインの仕事を東京のIT事業者から受注できた。時給5000円と高額の案件だ。

「三木市の自宅に居ながらにして、東京の業者から仕事を得る。自らのキャリアを武器にすれば、田舎にいても仕事を得て、楽しみながら働けることが分かりました」

自分の能力とIT技術を駆使すれば、都市部の仕事を田舎に引き込める。6年前、中田さんはそんな働き方を体感的に理解できた。

持ち前のスキルを活かして以降、仕事は順調に増え、やがて1人では対応しきれないようになる。そこで大阪時代の元同僚の魚返（うおがえし）真哉さんを誘って2人体制に。とはいえオフィスは持たず、別々の場所で働く方法を選んだ。

「当時、魚返は京都のWeb運営会社に勤めていたのですが、デザイナーとして制作に携わりたいという思いを抱いていたんです。そこで『可能性しかないから』と何度も伝えて口説き落とし（笑）、仲間に加

口説き落とした元同僚の魚返さんと。物静かだが仕事の腕はぴかー、中田さんの信頼は厚い

わってもらいました。彼の拠点は大阪でしたが、1人でもリモートでやっていけているわけだから、2人になってもオフィスレスで大丈夫だろうと思ったんです」

この当時に導入し、今も続いている取り組みのひとつが朝会と夕会だ。文字どおり朝と夕方にオンラインでミーティングをおこない、進捗や課題などの情報を共有する。やり取りの会話やテキストを議事録に残し、経緯をさかのぼって参照できるようにもした。

以降もリモート体制で案件をこなし、やがて2人でも対応しきれないように。アルバイトを雇い入れることにしたが、初対面の人材を雇用するためにはさすがに拠点が必要と判断。そこで兵庫県神戸市垂水区の明石海峡大橋が望める場所で古いアパートを契約し、アルバイトの仕事拠点にすることにした。

「といってもアルバイトのスタッフが神戸市の舞子のオフィスに出社するのは週1度のみ。それ以外は引き続きリモート体制がメインで、スタッフへの教育や指導もオンライン中心でおこないました」

その後も人材は増え続け、欧米在住の日本人デザイナーも加入。海外拠点のメンバーを含むリモート体制となり、2017年9月には法人成りを果たし、翌10月には舞子のアパートから神戸北野に移転。さらに2019年4月に現所在地の三ノ宮にオフィスを再移転し、従業員とアルバイト、外部スタッフを含む10人体制となり現在に至っている。

リモートワークの成否は、むしろリアルとテキストのコミュニケーションが握る

創業からの6年間で蓄積してきたリモートワークの工夫は数多い。本書では、3つに絞って説明しよう。

まず1つ目は、すでに触れたオンラインによる朝会と夕会。スタッフが増えた現在はチームごとに朝夕の2度、オンラインミーティングを開いている。

「共有する情報は、プロジェクトの進捗や個々のタスク、課題などが中心です。各メンバーはそれぞれ別々の場所で働いているので、オンラインで顔を見ながらの情報共有は必須です」

この朝・夕会に加え、個々のメンバー同士でオンラインミーティングを開いたり、後述のテキストコミュ

ニケーションで情報を共有したり、必要に応じて臨機応変に対応している。

つぎに2つ目は、週に1度、三ノ宮のオフィスに集合してリアルに顔を突き合わせること。この際にも会議を開き、朝・夕会と同じく進捗や課題などの情報共有をおこなう。さらに目標やビジョンを共有するためにもリアルのコミュニケーションは重要な意味をもつ。そこで重視しているのが懇親会だ。

「三ノ宮に出て飲み会を開くときもあれば、オフィスに飲食物を持ち込んでそのまま雑談するときもあります。普段は自宅で作業しているので、週1でメンバーと顔を合わせて息抜きをする時間が貴重なんです。実際に会って飲みながら話をすれば楽しいし、思いを共有することもできますから」

自宅を拠点にしたリモートワークは時に孤独に陥りかねないだけに、集中と緩和のバランスが大事なのだ。

そして3つ目はテキストコミュニケーションである。同社の場合、業務上のやり取りはビジネスチャットツールの「Ｓｌａｃｋ（スラック）」を、タスク管理はプロジェクト管理ツールの「Ｂａｃｋｌｏｇ（バックログ）」をそれぞれ利用している。

いずれもメジャーなツールなので導入している企業は多いはず。そのなかでも中田さんの話で印象的だったのは、「リモートワークの成否はオンラインのやり取り以上に、むしろテキストコミュニケーションがカギを握る」とのひと言。

「もちろんオンラインも大事ですよ。でもリモートワークのベースはあくまでテキストコミュニケーションです。だから文字による情報共有が得意な人が向いていますね」

同社の場合、簡単な連絡事項はチャットで済ませる。瞬発力あるやり取りが可能だし、履歴も残るからだ。ビジネスチャットを使いこなせば業務の効率化や生産性の向上につながる。

しかしながら、文字によるコミュニケーションは想像以上に難しい。伝える側には表現力が、受け取る側には読解力が必要となる。

アメリカの心理学者アルバート・メラビアンが提唱した「メラビアンの法則」によると、話し手が聞き手に与える影響は「言語情報」「聴覚情報」「視覚情報」

の3つで構成されているという。影響力はそれぞれ異なり、言語情報7％、聴覚情報38％、視覚情報55％。つまり文字によるやり取りは声のトーンやボディランゲージなどの表現方法を使えず、7％の伝達力しかないわけだ。

この7％のテキストコミュニケーションで誤解を生まず、スムーズにやり取りする秘訣は何だろう。中田さんに聞いてみると、「たとえばチャットはレスポンスの速さが重要。だからすぐ対応するのが難しい場合、『今忙しいので15分後に！』などと自分の状況を伝える配慮が必要ですね」とのこと。

相手の状況が見えないだけに、返信のない状態はストレスとなる。だからこそレスポンスを優先し、相手に配慮する想像力、先回り力がテキストコミュニケーションで必須の力といえる。

「さらに自分の気持ちを手軽に、かつ効果的に表現する手段として、感嘆符や絵文字の使用は有効です」と中田さん。

上司に絵文字を使うのははばかられると思う人もいるかもしれないが、中田さんは続ける。

「むしろ感嘆符や絵文字を積極的に使うべきですし、そういうチームを構築すべきです。『お願いします』より『お願いします！』。このほうが気持ちの出方が違いますし、絵文字も付け加えれば受け手の印象はガラリと変わりますよね」

反対に、慣れている人にとっては当たり前だがビジネスチャットで「お疲れ様です」は不要だ。こうしたチャットならではの距離感や空気感を理解できる人、こなれている人がリモートワークに向いているということだろう。

ではオンラインでのやり取りが必要になる場面はどんなときだろう。

「それはテキストでは伝わりづらい概念的な内容ですね。たとえばデザイン案を話し合ったり、理念や目標やビジョンを共有したり。そうした複雑なやり取り、ニュアンスを文字で表しにくい抽象的な話は顔を見て話し合う、あるいは場合によっては実際に会って時間を共有するのがいいですね」

そうすれば言語情報の7％に聴覚情報と視覚情報が加わって、100％のコミュニケーションとなるわけだ。

田舎の実家にUターンして人生のステージアップ

東京都心から兵庫県三木市にUターンして6年。気になるのは、Uターンして人生がステージアップしたかどうかだ。

問うてみると、「東京で働いていたときと比べて多くの時間とお金を手に入れることができていますね」と中田さん。

具体的な地方暮らしのメリットを確認すると、「通勤時間ゼロでストレスもゼロ」「庭付き一戸建て」「充実した子育て環境」の3つをあげてくれた。

「たとえば結婚を機に都内から郊外に引っ越し、片道1時間半ほどかけて通勤するのは東京圏では珍しくないですよね。その場合は往復3時間が通勤時間にとられます。対する私の仕事の拠点は自宅ですから通勤時間はゼロ。これだけで1日3時間のプレミアムタイムが手に入るわけです」

現在、中田さんのご家族が暮らしているのは庭付き7LDKの一戸建て。これだけ立派な自宅を持つのは東京では当然簡単ではない。「Uターンしていなければ、もっと窮屈な生活だったはず」と中田さんが言うように、人生に求めるものは人によって異なるものの、安息の地である自宅の広々とした構えは心のゆとりであり、豊かな人生の象徴といっていい。

さらに子どもを持つ家庭にとって重要なのが子育て環境だ。その点、三木市を含む北播磨地域は待機児童問題もほとんどなく、三木市は条件によって保育料が無償と養育に関する資金負担も少ない。

加えて自然豊かな北播磨には公園の数が多く、三木市にはネスタリゾート神戸などの施設も充実している。家族で楽しめる場所に困らない点も魅力だ。

ただし、大切なことがある。それは配偶者の幸せを優先すること。これは中田さんのご一家に限らないが、妻側が夫の実家に入ると気苦労も多いものである。

中田さんの奥さんは大阪出身ということもあり、三木市に知り合いや友だちはいなかった。「だからUターン後は大変な面もありました」と打ち明ける。

実家を出てマイホームに暮らす現在は、奥さんも自

甲子園球場のおよそ20倍の面積を誇る県立三木山森林公園。四季折々の自然を感じながら家族で1日楽しめる

分なりの楽しみ方を見つけておられるそう。地方移住によって人生をより良くするためには、配偶者の理解と協力を大前提とした家族の団結が何より大切といえるだろう。

三木市を拠点に都市部マーケットでビジネス。利益&スキルを地元に還元

N's Createsの事業内容は、冒頭でも触れたようにスマートフォンアプリやWebアプリ、Webサイトなどの開発。ユーザーの使い勝手を考慮したデザイン力を武器に業容を拡大してきた。スマホアプリの開発案件では誰もが知る有名アプリも手がけるが、守秘義務があるため残念ながらお伝えできない。

「当社の大切にしているマインドのひとつが『解で快を創る』です。目の前のクライアントの問題や自分たちの身近な問題を、専門知識を活かして創造的に解決することで、かかわる人たちの日々を快適に、豊かにしたい――そんな思いで仕事に取り組んでいます」

そんな同社の主要マーケットは東京や大阪などの首

都圏が中心となる。

　つまり本社の三木市を拠点に都市部のクライアントから仕事を受注し、国内外に分散する各メンバーの協力体制で開発を推進し、でき上がったアプリなどのサービスを都市部を中心としたマーケットに提供する。そして得た利益は本社のある三木市を始め、各メンバーの暮らす地域に落とされていく。

　さらに利益だけでなく、スキルの地元還元にもつながり始めている。

「正直、Ｕターンした当時はＩＴとデザインを融合させる価値を地元の企業や自治体に十分理解してもらえませんでした。最近は少しずつ認知が広がり、地元三木市の伝統産業である金物関係のＷｅｂサイトを手がけるなど、少しずつ地元への恩返しができてきています」

コロナ後は世界が競合に。
だからこそ複合的なスキルアップを

　最後に、「コロナ後のワークスタイル、ライフスタイルはどうなっていると思うか」と聞いてみると、「コロナが収まっても、私たちのような専門職はリモートワークがある程度定着していると思います」というのが中田さんの見立て。

　都心のオフィスは縮小傾向が続く一方、人が地方に分散する流れは続いていくだろう。

「ただし――」、と中田さんは付け加える。

「場所を問わずに働けるということは、海外を含めて競合の範囲が広がることを意味します。だからこそ、コロナ後は専門的なスキル以外の複合的なスキルアップが求められるでしょう」

　かつて日本の製造業がアジア新興国とのコスト競争にさらされたように、リモートで場所の制約が解き放たれたことで、製造業以外のあらゆる分野で世界規模で競合関係に陥る可能性がある。そうなると価格は人件コストの低い国や地域に収れんされ、価格競争の渦に巻き込まれかねない。

「だからこそ、『専門技術×プラスアルファ』の掛け算のスキルアップが必要だと思うのです。たとえば『専門スキル×コミュニケーションスキル』のように、リモートワーク時代に勝ち残る合わせ技を養う意識が

大事でしょうね」

中田さんの言葉は厳しいようにも聞こえるが、一方では「人生をより充実させたい人にとってはチャンスだと思います」とも。

「というのも私がそうであったように、ＩＴ技術やデジタル技術を使いこなせば1日の働く時間を減らしながら、収入アップを実現できるからです。時間と収入の両方が手に入る――ウィズコロナ、アフターコロナはそんな時代だと思いますよ」

今後、中田さん率いるN's Createsではワーケーションにもチャレンジしていく考えだ。

「コロナでフルリモートを久々に経験したのですが、十分やっていけると再確認できました。ＩＴ環境が整っていれば海外にいても働けますから、ワークスタイルとライフスタイルをより充実させるための前向きな模索を続けたいと思っています」

エピローグ

ローカルクリエーターこそ、地方活性化の主体者たれ

地方が主体になる大切さ

地元にUターンした際の「違和感」

加東市にUターンし、地元の市役所か公共施設に足を運んだときだったと思います。大手企業が発行しているメジャーな旅行専門雑誌が置かれているのに気づきました。ところがよく見てみると、市販品ではなく値段もフリーです。どういうこと？　と思って手に取ると、「加東市版」と銘打たれていました。

ページをめくると、なるほど加東市の観光名所や飲食店などが紹介されています。モデルさんが各地を巡る写真もあるなど、さながら旅行専門雑誌のよう。見栄え良くつくられているなと思ったつぎの瞬間、ぼくは違和感を覚えました。

その違和感の正体が何だったのか、当時は深く考えませんでした。ですが今回、本書をつくるにあたり、またあのときの感覚がよみがえってきたのです。

当時のもやもやとした気持ち、今ならその理由が分かります。おもに、つぎの３つです。

①大手のビジネスに乗じている気がしたこと
②外部の目に触れきっていないこと
③地元の人が主体とならず、知恵を絞っていないこと

①大手のビジネスに乗じている気がしたこと

媒体自体はよくできていたと思います。メジャーブランドを冠した雑誌風の冊子をつくり、地元をＰＲしたい――そう思うのはある意味で当然で、ぼくがこだわりすぎているのかもしれません。でも、やはり違和感がありました。

本書で勝手なことを書くのも忍びないので、事業主体となった商工会に電話し、いつもお世話になっている職員の方に気持ちを正直に打ち明けました。詳細は控えますが、ぼくから職員の方に伝えたのは、「大手のビジネスに乗じているような気がした」という感想です。

その職員の方は媒体の担当ではなく、ぼくの一方的な思いを押し付けてしまって申し訳なかったのですが……「仕事百科事典 加東市版」でお世話になっている方なので少しは理解してもらえたはずです。

商工会はクリエイティブワークのプロではありませんから、観光名所やお店の紹介に長けた大手の雑誌企画に乗るのは手段としてはあっていいと思うし、何よりメジャー雑誌のブランド力にあやかることもできます。

でも、だからこそ余計に何かが引っかかったのです。その何かの正体を突き詰めると、つぎの２つにたどり着きました。

②外部の目に触れきっていないこと

違和感を生み出す心理的要因のひとつは、市外の人たちに届ききっていないと感じたからです。

Uターン後に訪れたのとはまた別の市内の公共施設でも、この雑誌を勧められました。「ほら、あの有名な雑誌の加東市版ですよ」。そう誇らしげに紹介され、ぼくは内心でがっかりしたのを覚えています。

こんな外部のブランドに頼らなくても……そう思うと同時に、加東市の観光名所が載っている雑誌を市内でＰＲしなくてもいいのではないか、と感じたのです。加東市内に置いて喜んでいる場合ではなく、市外にこそ積極的に設置し、ＰＲする努力が必要なのではと。

加東市のお店も載っているので、市内の人が見ても楽しめる媒体にはなっています。ケース④で紹介した真鶴出版の川口さんの言葉にもあったように、ローカルを突き詰めると、外の人も楽しめるメディアになるのだと思います。

ですが、そのために決定的に欠けていると思うことがひとつ、ありました。それがつぎの３つ目の理由です。

③地元の人が主体とならず、知恵を絞っていないこと

本書で提唱しているローカルシティワークのポイントのひとつは、田舎を拠点に都市部との垣根を越えたクリエイティブワークをおこない、付加価値を生み出すことです。その意味

では、メジャー雑誌の編集力や企画力、ブランド力を利用するのは正しい手段のように思えます。

それでも、しっくりこない気持ちを抱いたいちばんの理由は、その地域に住んでいる人が主体となり、伝えたい内容や表現について知恵を絞っていないと感じ取れたからです。

地元の人たちが自分たちの頭で考え、地域の宝物のような資源に光を当て、紹介する――そのための手段として都市部リソースを活用するのであれば良いのですが、大手のブランド力に頼り、編集から制作まで任せてしまっている、その主体性のなさ、尊い営みの欠如に対して違和感、というよりも残念な気持ちを抱いたのでした。

補助金を使って有名ブランドの雑誌風冊子を外部委託でつくり、制作費はその大企業の懐に入り、加東市に残ったのはただの媒体――ぼく自身もクリエーターの端くれとして、そう思えてしまう状況に悔しさすら感じたのです。

同時に、外部に頼るのであれば、地元のクリエーターを軸にチームを組み、プロジェクトを進めてほしいと思いました。

東京に丸投げの情けなさ

ほかにも、同じような思いをしたことがあります。ある東京の大手メディア企業の人と一時期、仕事をしたときの話です。

その人は、地方のプロモーションムービーを制作する事業を立ち上げたと、意気揚々と話して聞かせてくれました。地方創生に関する補助金が出ているので、地方自治体に対して、自分たちが誇るメディアの編集・制作能力を活かしたムービーの提案をしているのだと。

誤解を生まないよう断りを入れておくと、その人自身は清々しい好青年で悪気はまったくありません。自分が立ち上げた事業を軌道に乗せようと前向きに努力し、各地に積極的に足を運んで地域の人たちとの交流を深めていました。

ですが、ぼくはその人の話を聞きながら悔しく思いました。地方自治体は補助金を使えます。東京の大手企業に任せておけば、見た目はかっこいい成果物に仕上がるでしょう。

それでいいといえばそうなのかもしれませんが、本当の地方発の情報発信とは果たしてそういうものか？　と疑問に思うのです。

だからこそ、ローカルクリエーターの出番だ

小学生時代の恩師である岸本清明先生と話をした際、つぎの言葉をかけてぼくの活動を励ましてくれました。

「出版とは光を当てること。地方には、埋もれたええもんがいっぱいある。君の役割は、その埋もれたええもんに強烈に光を当てることやと思うよ」――と。

その〝地方の埋もれたええもん〟を掘り起こし、際立たせるのもローカルクリエーターの役割なのではと思います。ぼくの力はまだまだ知れていますが、都市部で活躍した人が地方

に還り、あるいは地方で活動して付加価値を生み出し、得た利益を地域に引き込んでいく。都市部と連携して物事を進めていく場合でも、その活動の主体はあくまで地方であるべきです。

地方創生や稼ぐ地方づくりなど、まだろくに利益もあげていないぼくが声高に言えることではないけれど、地方を本当の意味で元気づけることができるのは、その地域で活動している人たち自身なのではと思うのです。

そう、地方の時代が訪れた今こそ、ローカルクリエーターの出番なのです。

おわりに

本書をお読みいただき、ありがとうございます。

２０２０年８月に本書の企画を立ち上げてから、完成までに１年４か月もかかってしまいました。その間、原稿を幾度も書き換え、さらにタイトルや方向性の修正も繰り返しました。

ただし、ひとつだけ、最初に企画書をつくってから貫いた思いがあります。それが、本書の核でもある「ローカルシティワーク」という考え方です。

地方に移住後も都市部との垣根を越えたクリエイティブワークで付加価値を生み出し、得た利益を地元に引き込む働き方、暮らし方――。

このコンセプトには最後まで手を加えませんでした。その意味で、本書でもっとも伝えたい思いがここに凝縮されているといえます。

本書の編著者であるスタブロブックスの代表者、つまりぼく自身がまだ達成できていないのに、こんなテーマの本を出す資格があるのだろうか、出版を取りやめたほうがいいのではないだろうか、そんな葛藤も常に抱いていました。

それでも最終的に発刊することにしたのは、「ローカルシティワーク」という考え方が広まってほしいと思ったからです。

本書の制作では、各地で活躍する6事例のプロフェッショナルの皆様に取材のご協力をいただきました。この場を借りて、あらためてお礼を申し上げます。

自然あふれる田舎の自宅をオフィスにして、好きな仕事をして暮らす——。

25年前の高校生時代に夢見たライフスタイルが、今こうして実現しました。

この本に刻んだ内容を土台にして、地方を拠点とした新たな働き方、暮らし方の実践とつぎなる模索に向けて走り始めたいと思います。

２０２１年10月12日

スタブロブックス株式会社　高橋　武男

参考文献（順不同）

『まちづくり幻想　地域再生はなぜこれほど失敗するのか』（木下斉著／発行：ＳＢクリエイティブ）
『稼ぐまちが地方を変える　誰も言わなかった10の鉄則』（木下斉著／発行：ＮＨＫ出版）
『ナリワイをつくる　人生を盗まれない働き方』（伊藤洋志著／発行：筑摩書房）
『イドコロをつくる　乱世で正気を失わないための暮らし方』（伊藤洋志著／発行：東京書籍）
『小さな泊まれる出版社』（川口瞬・來住友美編著／発行：真鶴出版）
『日常 Vol.1』（発行元：一般社団法人 日本まちやど協会、発売元：真鶴出版）
『２０３０年：すべてが「加速」する世界に備えよ』（ピーター・ディアマンディス著、スティーブン・コトラー著／発行：NewsPicks パブリッシング）
『グローバル時代の必須教養「都市」の世界史』（出口治明著／発行：ＰＨＰ研究所）
『都市は人類最高の発明である』（エドワード・グレイザー著／発行：ＮＴＴ出版）
『都市５・０　アーバン・デジタルトランスフォーメーションが日本を再興する』（東京都市大学 総合研究所 未来都市研究機構著、葉村真樹編著／発行：翔泳社）
『都市の誕生：古代から現代までの世界の都市文化を読む』（Ｐ・Ｄ・スミス著／発行：河出書房新社）
『命の経済～パンデミック後、新しい世界が始まる』（ジャック・アタリ著／発行：プレジデント社）
『LIFE SHIFT（ライフ・シフト）』（リンダ・グラットン著、アンドリュー・スコット著／発行：東洋経済新報社）

『ワーク・シフト ― 孤独と貧困から自由になる働き方の未来図〈2025〉』（リンダ・グラットン著／発行：プレジデント社）
『ダブルローカル　複数の視点・なりわい・場をもつこと』（後藤寿和著、池田史子著／発行：木楽舎）
『地域が稼ぐ観光』（大羽昭仁著／発行：宣伝会議）
『いきたい場所で生きる　僕らの時代の移住地図』（米田智彦著／発行：ディスカヴァー・トゥエンティワン）
『自分をいかして生きる』（西村佳哲著／発行：筑摩書房）
『ローカルベンチャー　地域にはビジネスの可能性があふれている』（牧大介著／発行：木楽舎）
『ポスト・コロナ時代 どこに住み、どう働くか』（長田英知著／発行：ディスカヴァー・トゥエンティワン）
『コロナ移住のすすめ　２０２０年代の人生設計』（藻谷ゆかり著／発行：毎日新聞出版）
『東京脱出論』（藻谷浩介著、寺本英仁著／発行：ブックマン社）
『脱東京　仕事と遊びの垣根をなくす、あたらしい移住』（本田直之著／発行：毎日新聞出版）
『まだ東京で消耗してるの？　環境を変えるだけで人生はうまくいく』（イケダハヤト著／発行：幻冬舎）
『東京を捨てる―コロナ移住のリアル』（澤田晃宏著／発行：中央公論新社）
『人新世の「資本論」』（斎藤幸平著／発行：集英社）
『地域×クリエイティブ×仕事：淡路島発ローカルをデザインする』（服部滋樹・江副直樹・平松克啓・茂木綾子・やまぐちくにこ編著、淡路はたらくカタチ研究島［淡路地域雇用創造推進協議会］監修／発行：学芸出版社）

『地方でクリエイティブな仕事をする』（笠原徹著／発行：玄光社）
『半農半Xという生き方』（塩見直紀著／発行：筑摩書房）
『「よそもの」が日本を変える』（鎌田由美子著／発行：日経ＢＰ）
『ふるさと創生―北海道上士幌町のキセキ』（黒井克行著／発行：木楽舎）
『生きる場所を、もう一度選ぶ　移住した23人の選択』（小林奈穂子著／発行：インプレス）
『衰退産業でも稼げます：「代替わりイノベーション」のセオリー』（藻谷ゆかり著／発行：新潮社）
『誰も教えてくれない田舎暮らしの教科書』（清泉亮著／発行：東洋経済新報社）
『あたらしい移住のカタチ』（セソコマサユキ著／発行：マイナビ出版）
『仕事消滅時代の新しい生き方』（本田健著／発行：プレジデント社）
『デジタル×地方が牽引する　２０３０年日本の針路』（江川昌史著、藤井篤之著／発行：日経ＢＰ）
『アフターコロナのマーケティング戦略　最重要ポイント40』（足立光著、西口一希著／発行：ダイヤモンド社）
『みんなでつくる移住白書２０２０』（SMOUT移住研究所企画／発行：株式会社カヤック Living）
『利尻のいろ～彩葉書／彩随想～』（濱田実里著／発行：淡濱社）
『いなかのほんね』（北海道教育大学の学生26名＋來嶋路子編／発行：中西出版）
『続・山を買う』（來嶋路子著／発行：森の出版社ミチクル）
『さくらの咲くところ』（吉澤俊輔著／発行：森の出版社ミチクル）
『いつか幸せではなく、今幸せでええやん！　幸せの波動はイマジネーションでつくられる』（尾崎里美著／発行：スタブロブックス）

『一歩ふみだす勇気　挑戦する力をきみに』（高橋惇著／発行：スタブロブックス）
「コロナ禍で『東京一極集中』は是正されるか」（ダイヤモンド・オンライン）
「安定事業を無償譲渡。シリコンバレーに乗り込んだ起業家の挑戦」Bplatz／取材・山野千枝、執筆・高橋武男
「好きな場所で好きな仕事をする『コロナ移住』のすすめ」（週刊エコノミストＯＮＥＬＩＮＥ）
「クリエーター経済を本物に　アップルＣＥＯの10年と今後」（２０２１年８月13日、日本経済新聞）

【編著者】
スタブロブックス株式会社
2020年4月21日設立。兵庫県加東市のひとり出版社。社名の由来は陸上競技のスターティングブロック。「その一歩を後押しする本づくり」を大切にしている。同時に、地方の出版社というスタンスを活かしたローカル発の情報発信にも力を入れている。

【代表者プロフィール】
高橋武男（スタブロブックス株式会社　代表取締役）
1977年兵庫県加東市生まれ。関西外国語大学卒業。コピーライター、書籍編集者を経て、2008年にフリーランスの編集ライターとして独立。ビジネス書のブックライターとして70冊以上の執筆を手がける。2014年に加東市にUターン移住し、以降、田舎と都会を往復しながらライター活動を継続。「自然あふれる田舎の自宅をオフィスにして、好きな仕事をして暮らす」という高校時代に夢見たライフスタイルを実現させる。2020年、スタブロブックス株式会社を設立。

ローカルクリエーター

2021年 12月15日　初版第1刷発行

編 著 者　スタブロブックス
発 行 人　高橋武男
発 行 所　スタブロブックス株式会社
〒673-1446兵庫県加東市上田603-2
TEL 0795-20-6719　　FAX 0795-20-3613
info@stablobooks.co.jp
https://stablobooks.co.jp

印刷・製本　シナノ印刷株式会社

ISBN978-4-910371-03-0 C0036　定価はカバーに表示してあります。
落丁・乱丁本がございましたらお取り替えいたします。